ᄀ 쉬,

그 치명적인

속으로

마취통증의학과 전문의 김성협의 마취 이야기

마취, 그 치명적인 은밀함 속으로

김성협 지음

호디북스

일러두기

1. 국내에서 이미 굳어진 인명과 의학용어의 경우에는 익숙한 표기를 썼다.
2. 인명과 의학용어의 원어는 문맥을 파악하는데 도움이 될 경우 병기했다.
3. 인용한 그림과 사진은 책 마지막에 출처를 밝혔다.

시작하면서

코로나바이러스감염증-19(COVID-19:Coronavirus disease) 팬데믹 상황에서 소일거리로 시작했던 마취 관련 개인 생각과 대중에게 보다 정확하게 알리고 싶었던 마취에 대한 사실이 드디어 결실을 맺었습니다. 개인적으로 책을 내기에는 형편없이 부족하고 전혀 다듬어지지 않았다는 사실을 잘 알지만 대학에서 교수라는 직함을 달고 있어 출판하는 것이 더 조심스러웠습니다. 논문을 쓰는 습관이 있어 명확하지 않은 용어를 사용하는 것에 주저했고 그로 인해 읽는 사람 입장에서 많이 불편하겠지만 한글보단 영어를 고집했고 저작권 등을 훼손하지 않기 위해 그림 등의 출처를 분명하게 남겨 놓았습니다. 몇 번을 다시 읽고 여러 문제들을 고쳐나갔지만 내 눈을 피해 꼭꼭 숨어있을 부족의 흔적들이 존재하지 않을까 마음 한구석에 두려움이 있습니다.

정말 많이 부족하지만 이 책을 읽기로 결심한 독자들에게 먼저 감사를 전하고 싶습니다. 책을 읽다가 혹시 잘못된 표현, 저작권 문제, 오타 등의 여러 문제들을 발견하신다면 마치 투고된 논문을 냉철하게 살펴보는 평가자의 입장에서 지적하고 제가 그것들을 고칠 수 있도록 알려주셨으면 너무너무 감사하겠습니다. 그리고 항상 좋은 인연으로 본의 아니게 이 책을 통해 상처를 받는 분이 계시지 않기를 기도드립니다.

마지막으로 항상 제게 길을 열어주시는 은사님과 가족들께 감사 인사를 드립니다. 내 사랑에서 내 사람, 사랑합니다.

2023년 7월

저자 김 성 협

마취(痲醉)

1. 약물 따위를 이용하여 얼마 동안 의식이나 감각을 잃게 함.
2. 사상이나 이념 따위에 의하여 판단력을 잃게 됨을 이르는 말.

'마취'라는 단어를 들었을 때 '아! 어떤 수술을 하기 위해 환자를 재우고 안 아프게 하는 거구나.'라는 생각이 드는 것이 대부분 사람들의 반응일 것이다.

그렇지만 이 반응은 해당 분야에 있는 사람에게는 단순하게 약물로 치료하는 의학의 한계를 뛰어넘어 현대 의학의 눈부신 발전을 이룩하는 데에 초석의 역할을 한 마취를 가볍게 여기는 모독으로 다가오게 된다.

마취통증의학과 의사 입장에서 마취를 설명하면, 마취란 어떤 수술 또는 시술을 진행함에 있어 환자에게는 진정과 통증 조절 그리고 의사에게는 보다 쉽고 편안하게 수술 또는 시술을 시행할 수 있는 환경을 제공하며, 기저 질환이 있는 환자라면 수술이나 시술로 인해 그 기저 질환이 악화되거나 다른 합병증 없이 원래 상태 또는 수술이나 시술 전보다 건강한 상태로 되돌려 놓는 것까지 포함한다. 다시 말해 마취라는 행위가 단순하게 수술을 위한 보조적인 역할이 아닌 수술이나 시술을 하는 동안 환자의 상태를 최적으로 유지하는 적극적인 의학 기술이라고 말할 수 있다.

수술 또는 시술을 시행하는 동안에 모든 의료진들은 환자의 병소에 집중하지만 오직 마취통증의학과 의사만이 병소뿐만 아니라 전체적인 환자의 상태를 관찰하고 최적의 상태로 유지하는 일을 맡는다. 그래서 수술 또는 시술을 하는 동안 마취통증의학과 의사는 의술을 시행하는 주체가 되기도 하지만 수술 또는 시술을 하는 의사에게 환자의 상태를 대변하는 환자 자신이 되기도 하는 것이다. 이러한 사실을 이해하는 사람들이 얼마나 될까? 여러 매체에서 다른 의학 영역과 달리 보이는 모습이 많지 않아 마취에 대한 이해가 부족하거나 오해가 많이 쌓여 있다는 생각이 든다.

마취에 관한 여러 개인적인 글들을 통해 의학이라는 학문에 좀 더 친숙하고 마취라는 신비의 영역에 다가갈 수 있는 계기가 되기를 바란다.

차례

1
인류 최초의 직업은 마취통증의학과 의사이다

Genesis 2: 18(New International Version)

The Lord God said, "It is not good for the man to be alone. I will make a helper suitable for him."

창세기 2장 18절(NIV 성경)

여호와 하나님이 가라사대 사람의 독처하는 것이 좋지 못하니 내가 그를 위하여 돕는 배필을 지으리라 하시니라

Genesis 2: 21-23(New International Version)

So the Lord God caused the man to fall into a deep sleep; and while he was sleeping, he took one of the man's ribs and then closed up the place with flesh. Then the Lord God made a woman from the rib he had taken out of the man, and he brought her to the man. The man said, "This is now bone of my bones and flesh of my flesh; she shall be called 'woman,' for she was taken out of man."

창세기 2장 21절-23절(NIV 성경)
여호와 하나님이 아담을 깊이 잠들게 하시니 잠들매 그가 그 갈빗대 하나를 취하고 살로 대신 채우시고
여호와 하나님이 아담에게서 취하신 그 갈빗대로 여자를 만드시고 그를 아담에게로 이끌어 오시니
아담이 가로되 이는 내 뼈 중의 뼈요 살 중의 살이라 이것을 남자에게서 취하였은즉 여자라 칭하리라 하니라

Genesis 2: 7(New International Version)
Then the Lord God formed a man from the dust of the ground and breathed into his nostrils the breath of life, and the man became a living being.

창세기 2장 7절(NIV 성경)
여호와 하나님이 흙으로 사람을 지으시고 생기를 그 코에 불어넣으시니 사람이 생령이 된지라

인간(人間): 사람 인, 사이 간 = 사람 사이. 인간이라는 단어는 사람을 나타내는 단어이지만 사실 한문 자체만을 살펴보면 '사람 사이'를 나타내는 단어로 사람이 모여 이룬 사회를 의미하게 된다. 다시 말해 인간이라는 존재는 혼자가 아닌 공동체를 이루어 살아간다는 의미이다. 태초에 아담이라는 사람을 만든 하느님께서 아담이 혼자 살아가는 것이 좋지 않음을 아시고 그와 함께 할 사람을 하나 더 창조하셨다. "하느님께서 아담을 깊은 잠에 빠지게 만드시고 아담이 잠든 사이 그의 갈비뼈를 취한 후 그 갈비뼈를 가지고 이브를 창조하셨다."

하느님께서 태초에 아담에게 행하시는 일을 나 역시 환자에게 하고 있다. 환자가 깊은 잠에 빠지게 하는 일이 바로 그것이다. 오늘도 어제도 내일도 내가 하는 일이다.

그렇다. 나는 마취통증의학과 의사이다. 의사는 의과대학을 졸업하고 국가에서 관장하는 시험을 치러 그 자격을 면허 번호로 부여받는다. 마취통증의학과 전문의 역시 마찬가지로 의사 면허를 취득한 뒤에 일정 교육을 거친 후 시험을 통해 그 자격을 면허 번호로 부여받는다. 그러면 최초의 마취통증의학과 전문의는 누구일까? 마취통증의학과 전문의 면허 번호 01번은 바로 하느님이다. 아담이라는 사람을 잠을 재워 갈비뼈를 적출할 수 있도록 한 하느님이 최초의 마취통증의학과 전문의인 것이다. 여러 기록들을 통해 최초로 행해진 모든 것에 대한 정보들을 남기지만 세상에서 가장 많이 읽히는 성경에 마취통증의학과 전문의 면허 번호 01번이 환자에게 했던 일을 생생하게 기록하고 있다. 마취통증의학과 전문의가 되기 위해서는 의사 면허부터 있어야 할 터. 하느님은 의사 면허 번호 01번에 마취통증의학과 전문의 면허 번호 01번이라고 할 수 있다. 이것은

[그림 1] 이브의 창조(The Creation of Eve)
Michelangelo di Lodovico Buonarroti Simoni(이탈리아, 1475년~1567년), 1509년~1510년 제작

또 세상에 최초의 직업이 의사 그중에서 마취통증의학과 의사라는 의미를 가진다. 사실 하느님의 직업이 창조주이기에 이를 직업이라 정의하기는 애매하고 최초의 환자 01번 아담은 창조되어 딱히 구체적인 일을 한 적이 없어 직업이 무직 또는 한량이라고 이야기해야 하므로 최초의 직업은 하느님께서 행하신 의술 그중에서도 마취를 얘기할 수밖에 없게 될 것이다.

최초의 직업, 마취통증의학과 의사.

성형외과 의사를 사람의 모습을 다시 태어나게 한다는 의미를 포함해 '의사+하느님'의 의미로 '의느님'이라고 부르기도 한다. 이것을 최초의 의사인 하느님이란 의미로 해석하면 의느님은 성형외과 의사가 아닌 마취통증의학과 의사가 된다. 의느님이 마취통증의학과 의사가 될 수밖에 없는 이유에 대해 성경에서 다음과 같이 밝히고 있다. "태초에 하느님이 먼지와 흙을 통해 사람을 창조하시고 사람의 코에 숨을 불어넣자 살아 있는 존재가 되었다."

마취통증의학과 의사는 마취를 할 때 환자를 깊은 잠에 빠져들게 하며 호흡까지 없애버리기도 한다. 숨 쉬는 것까지 모를 정도로 깊은 잠에 빠진 환자의 호흡은 오롯이 마취통증의학과 의사에 의해 조절되며 마취를 깨울 때가 되면 하느님께서 아담에게 숨을 불어넣어 살아 있는 존재가 되게 하신 것과 똑같은 방법으로 환자에게 숨을 불어넣어 다시 환자 스스로 호흡을 할 수 있게 만든다.

"숨을 불어넣는 존재 = 생명을 전달하는 존재 = 창조주, 하느님",

감히 하느님의 이름을 빌려 마취통증의학과 의사가 하는 일이 무엇이고 얼마나 중요한 일인가에 대해 설명했다. 모든 직업에 귀천이 없고 모두 이 세상에 필요하며 소중하겠지만 마취통증의학과 의사가 생각하고 있는 직업에 대한 자부심은 단순히 자신의 직업에 대한 자족이 아니라 이제 하느님께서 태초에 하신 일들을 이어받은 대리자로서 더욱더 환자에게 자신의 모든 것을 바쳐 진심을 다해 진료에 임하겠다는 스스로의 다짐이다.

앞배인가, 뒷배인가

우측 아랫배가 아프면 충수돌기염(appendicitis)이고, 좌측 아랫배가 아프면 게실염(diverticulitis)이라고 단순하게 배가 아픈 위치만으로 진단을 내릴 수 있으면 편리하겠지만 현실은 그렇지가 않다. 해부학적으로 뱃속에는 간처럼 복강 내에서 턱하니 고정되어 있는 고형 장기가 있는 반면에 긴 관을 가지고 있으면서 복강 내에 고정되어 있지 않고 꾸물거리면서 계속 움직이는 장기들도 있다. 그중에서 충수돌기염은 응급 수술이 필요한 급성 복통 중의 하나이다. 충수돌기염은 위에서 소장 그리고 대장으로 이어지는 장관에서 소장에서 대장으로 이어지는 맹장의 끝에 있는 꼬리처럼 붙어 있는 충수돌기에 염증이 생기는 것이다. 초기에 증상이 심하지 않으면 항생제 치료로 해결할 수 있지만 대부분의 경우 수술이 필요하다.

외과 의사로서 처음 칼을 잡을 때 이 충수돌기염을 제거하는 수술인

[그림 2] 수술(Die Operation)
Gasparo Traversi(이탈리아, 1722년~1770년), 1753년~1754년 제작
염증이 진행된 충수돌기를 배를 열어 제거해야 복통을 해결하고 목숨을 구할 수 있겠지만 마취 없이 말 그대로 생살에 아무런 조치 없이 칼을 갖다 대고 진행하는 수술은 11세 소년에게 자신의 생명을 지킬 수 있었다는 안심보다 수술하는 동안의 고통이 더 크게 뇌리에 남을 것이고 이것은 어쩌면 평생 소년을 옥죌지도 모른다. 이것이 바로 사건/사고 후 신체적으로는 회복됐다 하더라도 정신적으로는 계속 고통받는 외상 후 스트레스 장애(post-traumatic stress disorder)인 것이다.

충수절제술(appendectomy)을 선배 의사의 도움을 받아 집도하게 되고 정식 외과 의사의 길을 걷게 된다. 그만큼 접근하기 쉬운 수술이라고 생각할 수도 있지만 충수돌기염이 터져 복막염으로 진행되거나 주위 맹장까지 문제가 생긴다면 복강을 열고 바로 제거가 가능한 앞배*가 아닌

* appendicitis를 줄여 appe → 아뻬 → 앞배라고 함, 개복하자마자 바로 보여 손쉽게 제거할 수 있는 충수돌기염이고, 마치 개복 후 "안녕!"이라 인사하며 "여기 제가 있어요. 빨리 제거해 주세요."처럼 보여 우스갯소리로 "Good morning, 앞배"라고 부르기도 함

엄청나게 큰 수술이 될 수 있다. 마취통증의학과 의사 입장에서는 외과 의사에게 충수절제술을 응급 수술로 의뢰받았을 때 빨리 수술을 끝낼 수 있는 앞배이기를 바라지만 외과 의사의 손은 타고 나는 것이므로 그 간단한 수술도 앞배가 아닌 뒷배*를 만들어 한참 동안 제거해야 될 충수돌기를 찾지 못해 헤매거나 찾았어도 어찌해야 될지 한참을 고민하는 외과 의사가 있기 마련이다. 충수돌기의 위치를 정확히 알고 있더라도 피부를 뚫고 복강 속의 장기를 꺼내어 제거하는 것은 쉬운 일이 아니다. 더욱이 환자가 마취 없이 깨어 있고 움직이고 있다고 가정하면 너무 끔찍한 상황이다.

가스파레 트라베르시(Gaspare Traversi, 이탈리아, 1722년~1770년)가 그 장면을 여과 없이 그렸다.

기록에 따르면 최초의 충수절제술은 1735년에 클라우디우스 아미안드(Claudius Amyand)에 의해 11세 소년인 핸빌 앤더슨(Hanvil Anderson)에게 시행되었다. 마취라는 개념조차 없던 시기에는 충수돌기염에 걸린 소년을 여러 사람들의 도움을 받아 움직이지 않도록 잘 고정한 뒤에 충수절제술을 시도했다. 수술이 성공했다고 하더라도 이후 소년의 삶이 어떠했을지 짐작조차 어렵다.

마취에 요구되는 네 가지 요소가 있다. 성공적인 마취를 위해서는, 먼저 수술이라는 정신적인 스트레스 상황에 대해 아무 기억 없이 편안하게 진정되는 것이 중요하다(① 진정 및 최면). 이와 함께 외부 자극에 대해 환자는 통증을 느껴서는 안 된다. 이러한 자극에 대한 통증은 환자의 혈압 및

---

* 개복 후 바로 찾지 못하고 한참 수고를 들인 후에 찾아 제거할 수 있는 아빼

심장 박동을 증가시키고 근육 긴장을 조장하는 등 여러 반사 작용의 증가를 통한 이상 반응을 유발하게 되므로 마취는 환자의 통증과 이러한 반사 작용이 일어나지 않도록 해야 한다(② 무통, ③ 반사 조절). 여기에 한 가지 조건이 더 있다. 수술 또는 시술을 시행하는 의사 입장에서는 환자가 움직이지 않아 원활하게 수술 또는 시술을 할 수 있도록 하는 것이다(④ 운동 제한). 마취통증의학과 의사 입장에서는 최초의 충수절제술이 외과 수술 측면에서 찬사를 받았다고 하더라도 공포 그 자체라고 말할 수밖에 없을 것이다.

관우와 술
그리고 맨드레이크

명의 화타(華佗, 중국, 145년~208년)가 말을 건넨다.

"한적한 곳에 기둥을 세우고 그 기둥에 고리를 만든 다음에 장군의 팔을 끼워 단단히 고정하겠습니다. 그 다음에 장군께서 얼굴을 가리시고 계시면 제가 뼈와 그 주변 조직까지 스며든 화살 독을 칼로 완벽히 긁어내고 약을 바른 후 상처를 실로 잘 꿰매겠습니다."

이에 관우는 별것 아니라는 듯 무심히 말한다.

"그까짓 일에 번거롭게 무슨 기둥을 세우고 그러겠소? 계속 바둑이나 두며 술 몇 잔 기울이면 될 것을 ...."

화타는 칼로 관우(關羽)의 팔을 갈라 뼈를 드러냈다. 상처는 생각했던 것보다 훨씬 심각했다. 뼈와 뼈 주위 상처에는 이미 고름이 잡혀 있었고 썩는 냄새가 주위에 진동했다. 화타는 주저 없이 칼로 상처와 그 주위 조직을 긁어내기 시작했다. 칼과 뼈가 맞닿으면서 긁히는 소리가 바둑돌을 놓는 소리와 함께 주위에 울려 퍼졌다. 그 광경을 보던 사람들은 저마다 놀라 얼굴을 돌리거나 귀를 막았지만 관우는 낯빛 하나 변하지 않고 편안하게 웃으면서 술잔을 기울이며 바둑을 두었다. 삼국지에 나오는 관우와 화타의 일화 중의 하나이다. 독화살을 맞은 관우의 상처를 마취 없이 치료하는 화타의 모습을 그리고 있다. 현대 의학 관점에서는 뼈까지 침범한 농양에 대해 절개(incision)와 소파(curettage) 및 세척(irrigation)하는 장면을 마취 없이 시행한 것이다. 마취 방법이 발견 또는 발명되기 전까지 모든 사람들이 이와 같이 자의반 타의반으로 관우가 되어야 했고 화타가 되어야 했다.

그러면 마취 방법이 대중화될 때까지 이러한 고통을 감내해야 했을까? 옛날에는 마취를 위해 어떤 방법을 사용했을까? 아마 처음에는 경험적으로 알게 된 통증 경감에 도움이 되는 식물을 마취하는 데에 사용했을 것이다.

쌈 채소 중 가장 많이 먹는 채소 중의 하나가 상추이다. 이 상추를 많이 먹으면 졸음이 쏟아지는 경험이 한두 번쯤은 있었을 것이다. 단순히 많이 먹어 배가 불러 졸음이 쏟아질 수도 있겠지만 사실은 상추에 포함되어 있는 락투카리움(lactucarium)이 그 원인이다. 상추의 딱딱한 줄기를 잘라 보면 우유 빛깔의 하얀 즙이 나오는데, 이것이 락투카리움이다. 락투카리움이 진정 및 최면 효과가 있어 졸음이 쏟아지게 만드는 것이다. 이와 같이 경험적으로 어떤 식물을 먹거나 태워 흡입하면 졸리거나 잠이 들어 최면 또는 환각 증상이 생긴다는 것을 알게 되며, 이를 마취를 위해 사용했을 것이다. 자연에서 얻을 수 있는 대마와 같은 마약 성분의 약초 역시 마취를 위해 사용되었을 것이라고 쉽게 짐작할 수 있다.

만약 이러한 식물들을 쉽게 구하기 어려운 지역이라면 어떻게 했을까? 인류의 역사와 함께 한 술이 마취를 위해 쓰였을 것이라는 것은 어렵지 않게 유추할 수 있다. 원숭이들이 몰래 숨겨둔 과일들이 시간이 지나면서 발효가 되고 우연찮게 인간들이 이 발효된 과일들의 맛을 보게 되면서 만들어졌다는 술. 술이 사람의 흥분을 유발한다고 생각할 수도 있지만 술은 처음에는 사람의 흥분을 유발하는 것처럼 보이더라도 결국에는 사람을 억제하게 된다. 과학적 관점에서 살펴보면 술은 혈중의 알코올 농도에 따라 영향을 받는 부위가 다르다. 처음에는 판단 및 감정을 조절하는 대뇌의 기능을 억제하여 기분이 고조되며 흥분된 모습을 보이지만 좀 더 농도가 올라가면 소뇌의 기능이 억제되어 운동 기능이 저하되고, 좀 더 농도가 올라가면 기억을 담당하는 중뇌의 기능이 억제되며, 좀 더 농도가 올라가면 생명과 직결되는 심장과 호흡 중추인 연수가 억제된다.

사실 이러한 억제 기능은 마취에 활용하기 좋은 방법으로 사용될 수 있겠으나 그 후의 일은 어떻게 감당할 수 있을지 모르겠다.

영화 <해리 포터(Harry Potter)>의 약초학 수업에서 아직 어린 식물일 때 뽑으면 아기의 모습으로 울어대는, 그래서 잘못 뽑으면 그 울음소리에 죽음에까지 이르게 되는 치명적인 맨드레이크(mandrake)가 나온다. 이 맨드레이크는 영화 속에 나오는 상상 속의 식물이 아니라 실재 존재하는 약초이다. 맨드레이크는 진정과 최면 그리고 환각을 일으키는 효과가 있어 실제로 마취를 위해 사용하기도 했다. 흥미롭게도 맨드레이크가 성경에도 나온다. 창세기를 살펴보면 다음과 같은 구절이 나온다.

Genesis 30: 14-15(New International Version)

[그림 3] 맨드레이크(Mandrake)

During wheat harvest, Reuben went out into the fields and found some mandrake plants, which he brought to his mother Leah. Rachel said to Leah, "Please give me some of your son's mandrakes." But she said to her, "Wasn't it enough that you took away my husband? Will you take my son's mandrakes too?" "Very well," Rachel said, "he can sleep with you tonight in return for your son's mandrakes."

창세기 30장 14절-15절(NIV 성경)
맥추 때에 르우벤이 나가서 들에서 합환채를 얻어 어미 레아에게

드렸더니 라헬이 레아에게 이르되 형의 아들의 합환채를 청구
하노라
레아가 그에게 이르되 네가 내 남편을 빼앗은 것이 작은 일이냐 그
런데 네가 내 아들의 합환채도 빼앗고자 하느냐 라헬이 가로되 그
러면 형의 아들의 합환채 대신에 오늘밤에 내 남편이 언니와 동침
하리라 하니라

여기서 라헬이 가지기를 원했던 맨드레이크는 임신을 촉진하는 식물 또는 정력제(精力劑)라고 생각할 수 있다. 맨드레이크의 뿌리 모양이 사람의 하반신과 비슷해 그렇게 여기는지도 모른다. 그래서 우리나라에서 이 구절을 번역한 표현을 보면 맨드레이크를 '합할 합, 기뻐할 환, 나물 채'를 써서 합환채(合歡菜)라고 부르고 있다.

4
웃음가스의 발견

물리학에서 전기장과 자기장의 상호 유도 현상을 설명하는 패러데이 전자기 유도 법칙(Faraday's law of electromagnetic induction)을 발견한 마이클 패러데이(Michael Faraday, 영국, 1791년~1867년)라는 이름은 한 번쯤 들어본 적이 있을 것이다. 그에 비해 마이클 패러데이의 스승인 험프리 데이비(Humphry Davy, 영국, 1778년~1829년)는 아마 생소한 이름일 것이다. 그렇지만 이 생소한 이름의 소유자가 흡입마취 약제의 시작을 알렸다.

조지프 프리스틀리(Joseph Priestley, 영국, 1733년~1804년)는 질산(nitric acid)과 금속으로 실험을 하다가 산화질소(NO:nitric oxide)와 아산화질소(N2O:nitrous oxide)를 발견하게 되었다. 이를 계기로 Pneumatic Institute(영국, 1799년~1802년)에서 질병의 예방과 치료를 위해 여러 기체들이 연구되기 시작했다. 여기서 마이클 패러데이의 스승인 험프리 데이비가 아산화질소(nitrous oxide)를 본인이 직접 흡입해 보고 웃는 표정을 유발하게

[그림 4] 과학적 연구!-공압의 새로운 발견!-또는-공기의 힘에 대한 실험 강의
(Scientific researches!-New discoveries in pneumaticks!-or-an Experimental lecture on the powers of air)
James Gillray(영국, 1756년~1815년), 1802년 제작

만드는 이 기체를 '웃음가스(laughing gas)'라고 불렀으며 이 기체에 대해 대중 강연까지 가졌었다. 그는 1800년에 "Researches, chemical and philosophical, chiefly concerning nitrous oxide, or dephlogisticated nitrous air, and its respiration"를 통해 아산화질소(nitrous oxide)의 마취약제로서의 가능성에 대해 언급했다.

하지만 이미 사람들은 웃음가스로서의 유흥이나 오락 도구로서의 아산화질소를 찾을 뿐이었다. 1802년에 제임스 길레이(James Gillray)가 그린 웃음가스에 관한 험프리 데이비의 대중 강연을 그린 캐리커처를 살펴보면 이 기체에 대한 대중의 관심을 알 수 있다. 당시에 이 기체를 흡입하고 흥이 나서 웃고 떠드는 파티가 유행하기 시작했으며, 이것이 바로 오늘날의 소위 해피벌룬(happy balloon)이다. 웃음가스가 미국으로 건너가게 되고 사람들은 약간의 푼돈만으로도 구입하여 취해 있었다.

이즈음 치과의사 호러스 웰즈(Horace Wells, 미국, 1814년~1848년)가 1884년 12월 08일에 웃음가스 시연회에서 사무엘 A. 쿨리(Samuel A Cooley)라는 청년이 웃음가스를 들이마신 후 나무로 만든 의자에 부딪친 뒤에 다리를 다쳐 피를 흘리고 있음에도 불구하고 전혀 아파하지 않다가 웃음가스의 효과가 끝이 난 후에야 아파하는 모습에 주목했다.

결국은 돈,
웃음가스에서 에테르 돔까지

다음날 치과의사 호러스 웰즈는 웃음가스(laughing gas)의 마취 효과가 치아 발치에 도움이 될 것으로 확신하고 자신이 직접 웃음가스를 마신 후 존 릭스(John M. Riggs, 미국, 1811년~1885년)에게 자신의 치아 발치를 의뢰하여 시행했다. 호러스 웰즈의 확신이 임상적으로 증명된 순간이었다. 호러스 웰즈는 이제 이 웃음가스의 의학적인 활용을 위해 좀 더 넓은 세상에 알릴 필요가 있음을 인식하고 자신이 살던 코네티컷주의 하트퍼드에서 매사추세츠주의 보스턴으로 달려갔다. 그곳에서 자신의 학생이던 윌리엄 T. G. 모턴(William Thomas Green Morton, 미국, 1819년~1868년)을 만나 하버드대학교의 여러 유명한 의사들을 소개받게 되고 직접 치아 발치를 웃음가스를 흡입한 한 의과대학 학생을 대상으로 시연하게 된다. 시연 도중에 이 학생은 알 수 없는 소리를 내게 되고 이를 지켜보던 사람들은 통증이 있어 내는 소리로 생각하게 되었다. 나중에 알려진 일이지만 이

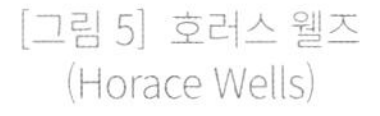
[그림 5] 호러스 웰즈 (Horace Wells)

[그림 6] 윌리엄 T. G. 모턴 (William Thomas Green Morton)

[그림 7] 찰스 T. 잭슨 (Charles Thomas Jackson)

학생은 자신이 왜 그런 소리를 냈는지는 모르지만 치아를 발치하는 동안에 통증은 전혀 없었다고 한다. 여하튼 안타깝게도 대중 앞에서 웃음가스를 의학적으로 사용한 최초의 시연은 실패한 것이다.

당시에 웃음가스처럼 유흥을 위해 사용되던 것이 또 있었다. 바로 에테르(ether)였다. 에테르는 1275년에 래이문두스 룰리우스(Raymundus Lullius, 스페인, 1232년~1315년)에 의해 처음으로 합성되었다가 1800년대 초에 앞서 언급했던 것처럼 유흥을 위해 사용되었다. 이 유흥을 'Ether frolics'이라 불렀다. 윌리엄 T. G. 모턴은 에테르의 효과에 대해 하버드대학교의 찰스 T. 잭슨(Charles Thomas Jackson, 미국, 1805년~1880년)을 통해 알게 되었고 몇 차례의 실험을 거친 뒤에 대중 앞에서 시연하게 된다. 1846년 10월 16일에 매사추세츠 종합병원에서 다음과 같이 시연이 이루어져 대성공을 거두었다.

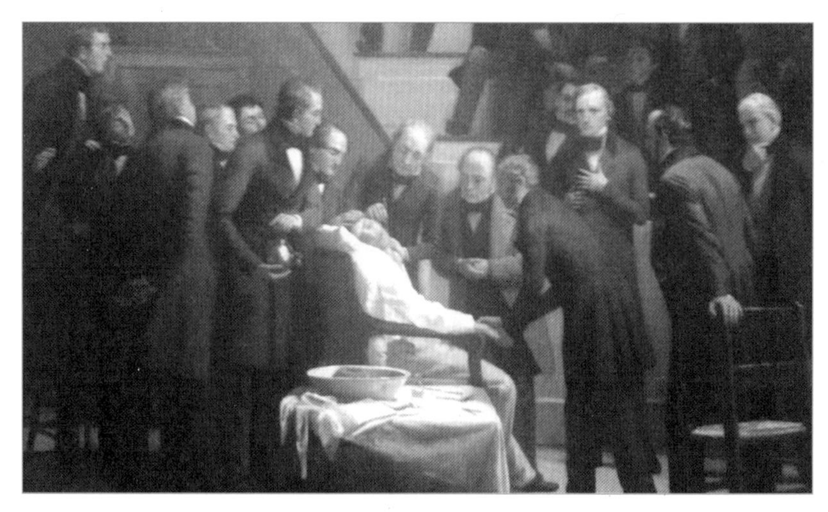

[그림 8] 에테르의 날 혹은 에테르를 사용한 첫번째 수술(Ether Day or The First Operation with Ether)
Robert Cutler Hinckley(미국, 1853년~1941년), 1882년~1893년 제작

"Diagnosis: mass on neck/patient name: Edward Gilbert Abbott(미국, 1825년~1855년)/operator: John Collins Warren(미국, 1778년~1856년)/anesthesiologist: William Thomas Green Morton"

"진단명: 목에 종괴/환자명: 에드워드 길버트 에보트(미국, 1825년~1855년)/수술의: 존 쿨린스 워렌(미국, 1778년~1856년)/마취의: 윌리엄 토마스 그린 모턴"

최초의 공식적인 마취가 성공적으로 수행된 것이었다. 이를 기념하기 위해 매년 10월 16일은 '세계 마취의 날(World Anesthesia Day)'로 정해 마취제의 탄생을 축하하고 있으며, 마취가 이루어졌던 장소는 '에테르 돔

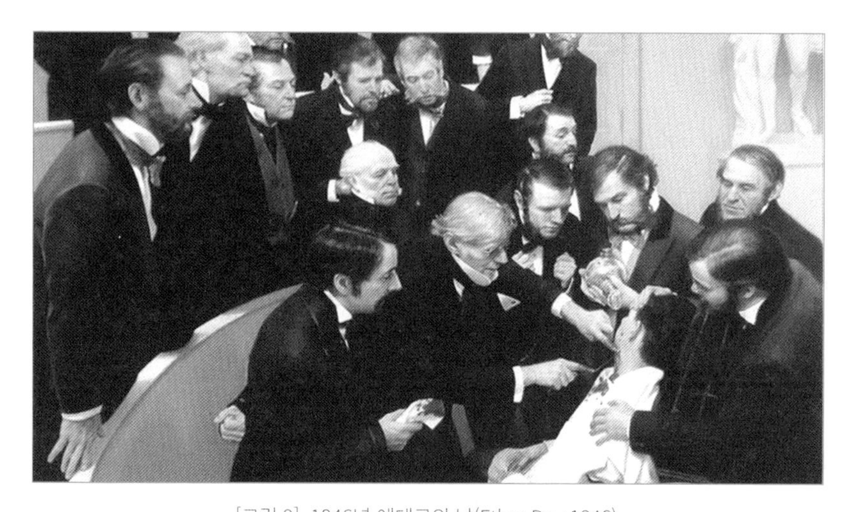

[그림 9] 1846년 에테르의 날(Ether Day 1846)
Warren and Lucia Prosperi(미국), 2001년 제작
1846년 10월 16일. 최초로 마취가 이루어졌던 그날을 기념하기 위해 시연 장소였던 보스턴의 Massachusetts General Hospital (MGH)에 있는 Ether Dome에 걸린 그림이다.

(Ether Dome)'으로 명명하여 기념하고 있다.

최초의 성공과 더불어 몇몇 증례들을 모아 헨리 비글로(Henry Jacob Bigelow, 미국, 1818년~1890년)는 1846년 11월 18일에 "Insensibility during surgical operations produced inhalation"의 제목으로 임상의사에게 최고로 권위 있는 학술지 중의 하나인 뉴잉글랜드 의학저널(NEJM:New England Journal of Medicine)의 전신인 <The Boston Medical and Surgical Journal>에 공식적으로 발표하기에 이른다. 훗날 이 논문은 NEJM 창간 200주년 기념으로 조사한 결과 'NEJM 역사에서 가장 중요한 논문'으로 선정되었다. 올리버 홈스(Oliver Wendell Holmes, 미국, 1809년~1894년)는 윌리엄 T. G. 모턴의 업적에 대한 찬사와 함께 에테르를 흡입한 환자의 상태를 '마취

(Anesthesia)'라고 정의하는 것을 제안하기에 이른다.

이는 이전 페다니우스 디오스코리데스(Pedanius Dioscorides, 그리스, 40년~90년)에 의해 정립되었던 '감각의 결함(a defect of sensation)'이라는 마취의 개념이 진정과 최면까지 포함하는 현대 의학에서 말하는 마취의 네 가지 요소에 보다 접근하게 되었다고 말할 수 있다. 이날의 성공으로 집도의(operator)는 좀 더 환자에게 실질적인 도움이 되는 수술을 진행할 수 있었다. 그리고 환자는 좀 더 안전하고 편안하게 수술을 받을 수 있게 되었다.

그렇지만 이날의 성공이 모두에게 행복한 것은 아니었다. 윌리엄 T. G. 모턴은 에테르의 성공이 자신의 부와 명성에 큰 행운을 주리라는 것을 믿어 의심치 않았다. 하지만 에테르라는 물질은 오래전부터 누구라도 합성할 수 있어 그 사용에 대해 독점적인 지위를 주장할 수 없었다. 그래서 윌리엄 T. G. 모턴은 몇 가지 물질을 추가하여 에테르의 냄새를 없애고, 그리스어의 'Lēthē'*에서 파생된 lethaen을 사용하여 '레테온(Letheon)'이란 이름으로 특허를 신청하여 자신이 판매에 대한 전권을 소유하려고 했다. 1846년 10월 16일에 사용되었던 것도 레테온이었다.

이것이 세상에 처음 흡입마취 약제를 알린 사람들에게 파멸을 안기는 전주곡이 될 것이라고는 생각하지 못했다. 윌리엄 T. G. 모턴이 낸 특허는 그에게 웃음가스를 소개해 주었던 호러스 웰즈와 그에게 에테르의 효과를 알려준 찰스 T. 잭슨에게 강한 반감을 불러일으켰다. 찰스 T. 잭슨은 특허에 이의를 제기하여 결국 윌리엄 T. G. 모턴은 찰스 T. 잭슨을 공동 특허를 낸 사람으로 등록하게 된다. 이후 얼마 지나지 않아 레테온

* 그리스 신화에서 하데스가 다스리는 저승의 길목에 있는 망각의 강 이름, 죽음을 맞아 저승으로 갈 때 이 강의 물을 마시면 전생의 기억과 번뇌를 모두 잊게 된다고 함

이 에테르라는 것이 밝혀지며 엄청난 비난과 함께 특허는 취소되었다.

세 사람의 운명도 레테온의 특허 취소처럼 파국으로 끝이 난다. 호러스 웰즈는 윌리엄 T. G. 모턴이 자신의 업적을 중간에서 가로챘다는 사실을 대중이 알아주기를 원했다. 이를 위해 노력하며 그는 또 다른 흡입마취 약제인 클로로포름(chloroform)을 알게 되고 이에 심취하여 연구하다가 중독에까지 이른다. 그리하여 점점 그의 정신은 황폐화되고 만다. 1848년 1월 21일 자신의 33번째 생일에 환각 상태에서 두 명의 매춘부에게 황산을 뿌린 사건으로 그는 감옥에 들어가게 되었고 그곳에서 3일 뒤인 1월 24일에 클로로포름을 흡입하고 면도칼로 자신의 대퇴동맥을 끊고 생을 마감하게 된다.

윌리엄 T. G. 모턴과 찰스 T. 잭슨의 분쟁은 평생에 걸쳐 지루하게 이어졌다. 그리고 윌리엄 T. G. 모턴은 뇌졸중(cerebrovascular accident)에 걸려 이상한 행동을 일삼다가 1868년에 숨을 거둔다. 그의 묘비에는 다음과 같이 기록되어 있다.

WM. T. G. MORTON.
"Inventor and Revealer of Anesthetic Inhalation"
"Before whom, in all time, surgery was Agony
By whom, pain in surgery was averted
Since whom, science has control over pain"

윌리엄 토마스 그린 모턴.
"흡입마취 약제의 발명가이자 발견자"

"그가 있기 전에 모든 수술은 고통 그 자체였지만 그로 인해 수술에서 통증을 줄일 수 있었다.
그때부터 통증은 과학적으로 조절할 수 있었다."

찰스 T. 잭슨 역시 오랜 분쟁에서 얻은 것은 정신 질환뿐이었다. 결국 그는 1880년에 정신병원에서 자신의 삶을 마감한다.

사실 이 진흙탕 싸움의 또 다른 주인공이지만 일찌감치 손절하고 나온 사람이 한 명 있다. 크로퍼드 롱(Crawford Williamson Long, 미국, 1815년~1878년)이다. 그는 외과 의사로서 에테르를 가지고 마취를 시행했던 최초의 인물이다. 그는 1842년 3월 30일에 수건에 적신 에테르를 제임스 M. 베너블(James M. Venable)이라는 환자에게 흡입하게 하여 그의 목에 있는 종양을 제거했다. 1846년 10월 16일에 있었던 윌리엄 T. G. 모턴의 에테르 돔 시연보다 훨씬 빠른 시작이었다. 그는 그의 성과를 몇 년 동안 다른 의사들과 함께 출산이나 절단 등의 여러 분야에서 활용했다. 그렇지만 그의 성과를 공개적으로 출판한 것은 1849년이 되어서야 이루어졌다. "An account of the first use of Sulphuric Ether by Inhalation as an Anaesthetic in Surgical Operations"의 제목으로 1849년 12월에 <Southern Medical and Surgical Journal>에 마취 목적으로 에테르를 1842년부터 사용했음을 밝혔지만 너무 늦은 발표였다.

현재 공식적인 기록은 마취의 시작을 알린 사람으로 위의 세 사람인 호러스 웰즈, 윌리엄 T. G. 모턴 및 찰스 T. 잭슨으로 알려져 있지만 자신의 권리를 끝까지 고집하지 않고 의사로서의 소명을 더 소중히 여긴 크로퍼드 롱에게 이 위대한 업적에 대한 찬사를 보내고 싶다. 그는 항상 자신의

[그림 10] 크로퍼드 롱(Crawford Williamson Long)

동상 아래쪽에 그의 업적을 기린 명판이 있고 그 명판의 아래 다음과 같이 항상 그가 다짐했던 문구가 쓰여있다. "나의 직업은 하나님으로 부여받은 사역이다(My profession is to me a ministry from God.)." 개인적으로 의사라는 직업은 하나님께서 내리신 벌이자 속죄의 기회라고 생각한다. 전생에 얼마나 씻을 수 없는 크나큰 죄를 지었기에 항상 고통받는 환자의 곁을 지켜야 되는 것인지... 그러기에 의사라는 직업을 가진 나로서는 묵묵하게 나의 최선을 다할 뿐이다.

직업이 하나님으로 부여받은 사역(ministry from God)이며 그의 가장 큰 야망은 자신의 수고로 이 세상을 보다 나은 세상으로 만드는 것*이라고 항상 말했다. 미국 국회의사당(Unites States Capital)의 National Statuary Hall에 그의 동상이 헌정되어 있으며, 동상의 명판에 "1842년 03월 30일 미국에서 최초로 수술을 위한 마취약제로써 에테르를 발견한 사람(Discoverer of the use of sulphuric ether as an anaethetic in surgery on March 30. 1842 at Jefferson, Jackson County, George, U.S.A)"라고 쓰여 있어 그의 업적을 국가에서 공식적으로 기리고 있다.

* his highest ambition is to do good and leave the world better by his labors

최초의 시작은 일본?

[그림 11] 일본마취통증의학회 (Japanese Society of Anesthesiologists)

일본마취통증의학회(JSA:Japanese Society of Anesthesiologist)의 로고를 살펴보면 트럼펫 모양의 식물 그림 속에 'JSA'라고 적혀 있다. 이 식물의 이름은 다투라(Datura)이다. 일명 천사의 나팔(Angel's trumpet)이라고 불리는 식물이다. 일본마취통증의학회의 홈페이지에 학회 소개를 다음과 같이 하고 있다.

"In 1804, Seishu Hanaoka, a physician in the Edo era, successfully performed surgery under general anesthesia using the extract of Datura. This event is now considered the first successful physician provided general anesthesia in the world."

[그림 12] 하나오카 세이슈(Hanaoka Seishu)

하나오카 세이슈의 마취 방법에 대한 조금 더 자세한 기록이 남아있었으면 하는 아쉬움이 있다. 그림에서도 붉은 헝겊이 환자의 코와 입을 막아 마취를 위해 사용된 것처럼 보이지만 명확하지는 않다. 붉은 헝겊에서 어떤 액체가 흘러나오는 모습도 보이는데 이 액체의 정체도 명확하지 않다. 거기다가 유선종양을 수술하는데 하나오카 세이슈의 칼은 환자의 유방이 아닌 흉벽을 향해 있다. 붉은 헝겊도 저 멀리서 누군가에 의해 받쳐 들려 있고. 이래저래 자세한 기록의 부재가 아쉽다.

"1804년 하나오카 세이슈라는 에도 시대 의사가 다투라라는 식물의 추출물을 사용하여 전신마취하에 수술을 성공적으로 진행했다. 이 사건을 현재는 전 세계에서 최초의 의사에 의해 행해진 전신마취라고 여겨지고 있다."

1804년 에도 시대에 하나오카 세이슈(華岡洲, 일본, 1760년~1835년)라는 의사가 다투라 추출물을 사용해 전신마취를 하고 수술을 처음 시행했으며, 이것이 세계 최초의 전신마취라고 말하고 있다. 일본은 1853년에 매슈 페리(Mattew Calbraith Perry, 미국, 1794년~1858년)가 입항하여 개항을 요구하기 전부터 이미 서양과의 교류가 있었다. 특히, 네덜란드를 통해 유럽의 여러 학문과 기술 및 문화 등을 익혀 왔고 이를 '난학(蘭)'이라 불렀으며, 난학의 시작은 의학 분야였다. 의학 분야의 난학을 '난방의학(蘭方醫學)'이라 하며, 하나오카 세이슈는 난방의학을 통해 수술 절차(surgical procedure)를 배운 것으로 여겨지고 있다.

하지만 마취에 관한 것은 난방의학에서 역시 다루지 않아 스스로 이에 대해 연구하고 각고의 노력 끝에 통선산[通仙散, 즉 마비탕(麻沸湯)]을 제조하기에 이른다. 1804년 11월 14일에 제조한 통선산으로 아이야 간(藍屋勘)이라는 여성을 마취한 뒤에 그녀의 유선종양(breast tumor)을 성공적으로 제거했다. 이는 1846년 10월 16일에 있었던 윌리엄 T. G. 모턴(William Thomas Green Morton)의 공개 시연과 1842년 3월 30일에 있었던 크로퍼드 W. 롱(Crawford Williamson Long)의 처음 시도보다 더 빠른 성공이라고 할 수 있다. 통선산의 제조 방법에 대해 그의 제자에 전수되었지만 현재는 그 제조 방법이 전해지지 않고 있다. 아마 독이 있는 여러 식물들의 배합이라 그 구성 성분 및 비율까지 정확하게 알지 못한다면 그 조제가 쉽지 않았을 것이고, 이를 명확히 기록으로 남기지 않았다면 후세에 전달하기 어려웠을 것이다.

실제로 하나오카 세이슈가 통선산을 개발하는 과정에서 그의 아내가 스스로 실험 대상이 되었으며 이 과정에서 눈이 멀게 되는 안타까운 사연이 전해지고 있다. 이를 소재로 하여 1966년에 소설이 출간되고 1967년에 일본에서 영화 <하나오카 세이슈의 아내(華岡洲の妻)>가 개봉되어 인기를 끌게 된다. 사실 이 영화는 하나오카 세이슈의 성공과 그의 아내의 헌신적인 노력을 그린 영화가 아니라 한 남자의 성공을 위해 희생되는 여인들의 모습을 보여 주는 가부장적인 사회를 질타한 영화이다.

7

새로운 흡입마취 약제의 등장, 클로로포름, 그리고 신의 섭리에 대한 저항

산모를 진찰하기 전에 염화석회(chlorinated lime)로 손 씻기가 제멜바이스(Ignaz Philipp Semmelweis, 헝가리, 1818년~1865년)에 의해 제안된 후 산욕열(puerperal fever)이 획기적으로 감소했다. 1831년 7월에 사무엘 거스리(Samuel Guthrie, 미국, 1782년~1848년)는 위스키와 염화석회의 조합 과정에서 스위트 위스키(sweet whisky)*를 발견하게 된다. 클로로포름(chloroform)은 스위트 위스키라는 이름에서 알 수 있듯이 단맛을 가진 무색의 휘발성 액체이다. 이후 1842년에 로버트 M. 글로버(Robert Mortimer Glover, 영국, 1815년~1859년)는 클로로포름이 마취 성질을 가지고 있음을 발표하게 된다.

제임스 심프슨(James Young Simpson, 스코틀랜드, 1811년~1870년)은 산부인과 의사로서 에테르(ether)를 종종 사용했다. 하지만 에테르는 역한 냄새가 나고

* chloric ether = chloroform in alcohol

[그림 13] 제임스 심프슨
(James Young Simpson)

종종 폭발 사고를 일으키는 성질이 있어 다루기가 쉽지 않았고 이를 대신할 마취 약제를 모두 찾고 있었다. 그러던 중 제임스 심프슨은 클로로포름을 알게 되었고 이를 산모의 고통을 줄이기 위해 사용하게 된다. 제임스 심프슨이 클로로포름을 찾은 것과 관련하여 다음과 같은 이야기가 전해진다. 에테르를 대신할 무언가를 찾고 있던 중 실험실의 누군가가 실수로 클로로포름이 든 병을 엎지르는 실수를 저질렀고 그 바람에 실험실에 있던 모든 사람들이 정신을 잃고 쓰러졌다가 한참 뒤에 정신을 차리게 되었다. 그 이유가 클로로포름이었다는 사실을 알게 된 후 에테르의 대용으로 실험을 거듭하게 된다. 이후 기분을 좋게 하는 향긋한 냄새를 가진 클로로포름을 흡입마취 약제로 사용하는 것을 결정하게 된다.

1847년 11월 4일에 처음으로 제임스 심프슨은 클로로포름을 사용하여 산모(Jane Carstairs)의 고통을 줄이면서 분만을 도와 아들을 낳게 하고 빌헬미나(Wilhelmina)라는 세례명을 가진 그 아이에게 'Anaesthesia'라는 별명을 붙여 주었다. 이 아이가 최초로 마취 상태의 산모에게서 분만된 마취의 영향을 받고 태어난 아이라고 할 수 있다.

이후에 최초의 무통분만이라 할 수 있는 클로로포름의 흡입마취 방법은 의도하지 않게 종교적인 문제로 떠오르게 된다.

Genesis 3: 16(New International Version)

To the woman he said, "I will make your pains in childbearing very severe; with painful labor you will give birth to children. Your desire will be for your husband, and he will rule over you."

창세기 3장 16절(NIV 성경)
또 여자에게 이르시되 내가 네게 잉태하는 고통을 크게 더하리니 네가 수고하고 자식을 낳을 것이며 너는 남편을 사모하고 남편은 너를 다스릴 것이니라 하시고

여기서 분만할 때 고통이 있어야 하는 것을 신의 섭리라고 한다니 너무 어이없는 말이지만 이를 글자 그대로 이해하는 사람들은 무통분만 자체를 신의 섭리를 거역하는 반종교적인 일이라고 비난하기 시작했다. 당시에 분만의 고통을 그린 그림을 살펴보면 분만은 고통이며 죽음을 의미했다(분만=고통=죽음). 게다가 소독에 대한 개념도 희박해 분만 과정에서 산모가 죽는 경우도 허다했다. 무통분만을 금지해야 한다는 이 허무맹랑한 논란을 한순간에 잠재운 이가 있었는데 그는 바로 절대 권력을 가진 빅토리아 여왕(Alexandrina Victoria Hanover, 영국, 1819년~1901년)이었다.

빅토리아 여왕은 1837년 6월 20일부터 1901년 1월 22일까지 무려 63년 7개월의 재위 기간 동안 팍스 브리타니카(Pax Britannica)를 이끈 그레이트브리튼 아일랜드 연합왕국(United Kingdom of Great Britain and Ireland), 즉 해가 지지 않는 나라*의 군주였다. 당시에 가장 고귀한 신분이었던 그녀가 무통분만으로 아이를 낳은 최초의 유명인사(celebrity)가 되어 무통

* The empire of which the sun never sets.

[그림 14] 빅토리아
(Alexandrina Victoria)

[그림 15] 레오폴드 조지 덩컨 앨버트
(Leopold George Duncan Albert)

[그림 16] 존 스노
(John Snow)

분만에 대한 논란을 한순간에 잠재워 버린다. 빅토리아 여왕은 앨버트 공(Prince Albert of Saxe-Coburg and Gotha)과 결혼하여 4남 5녀의 자녀를 얻었고 이들을 통해 유럽 여러 왕실과 '혼인 동맹'을 맺게 된다. 그래서 이후에 '유럽의 할머니(Grandmother of Europe)'라는 별명을 얻게 된다. 이를 통해 빅토리아 여왕의 영향력이 어느 정도였는지를 가늠해 볼 수 있을까? 아마 상상 그 이상으로 거의 신의 영역이라고 할 수 있을 것이다. 안타깝게도 이 별명은 혈우병(hemophilia)을 전 유럽 왕실에 퍼트렸고 러시아 왕실의 몰락을 앞당기는 씨앗이 되었다.

빅토리아 여왕은 존 스노(John Snow, 영국, 1813년~1858년)의 도움을 받아 1853년 4월 7일에 클로로포름을 흡입한 상태에서 자신의 4남인 레오폴드 왕자(Prince Leopold, Duke of Albany)를 낳게 된다. 여담이지만 존 스노는 1854년에 런던에서 유행하던 콜레라의 원인이 식수원의 오염 때문임을 밝혔으며 공중보건학의 발전에 크게 영향을 미쳐 근대 역학의 아버지라고 불린다. 빅토리아 여왕은 4년 후에도 클로로포름의 도움을 받아 공주를 출산하게 된다. 이를 통해 무통분만에 대한 논란은 사라지게 된다. 빅토리아 여왕은 앨버트 공과 1840년 2월 10일에 결혼하여 그가 1861년 12월 24일에 사망할 때까지 21년의 결혼 생활 중에서 절반을 임신 기간으로 지냈으므로 누구보다 출산의 고통에 대해 잘 알았을 것이다. 사실 '얼마나 사랑했기에 출산의 고통이 어떠한지 알면서도 남편과의 사랑의 결실을 그토록 많이 남기고 싶었을까?'라는 생각도 하게 된다. 남편의 사후에는 절망하며 모든 것을 내려놓을 수밖에 없었던 빅토리아 여왕의 모습에서 두 사람의 사랑을 조금이나마 짐작해 본다.

1800년대 분만 장면이다. 남편이 산모 옆을 지키고 있지만 고통은 오롯이 산모 혼자의 몫이다. 태아가 산도를 통과하여 반쯤 나왔지만 이미

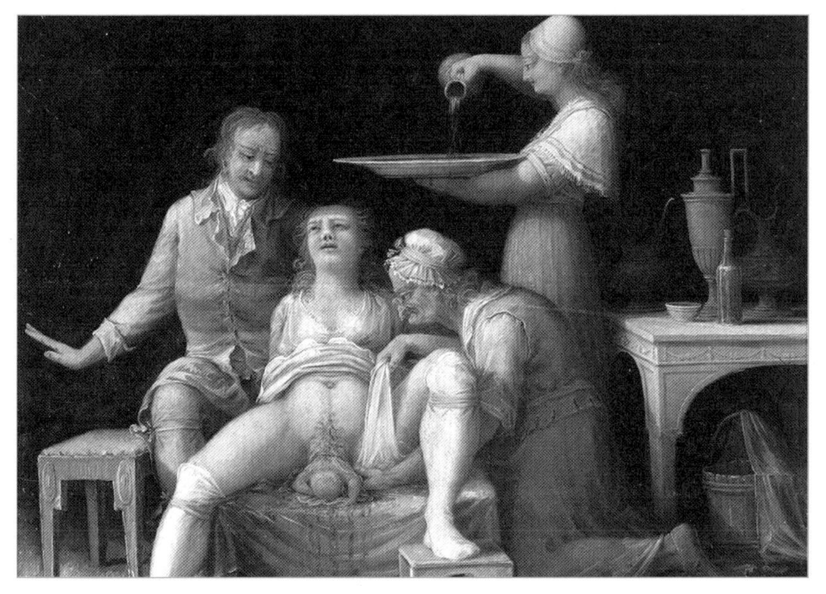

[그림 17] 탄생 장면(A birth-scene)
작가 미상

산모는 혼절하기 직전이다. 무덤덤한 산파는 이러한 사정에도 아랑곳하지 않고 자기 일을 하고 있다. 이는 최고의 권력자에게도 다르지 않았을 것이다. 그 시대에는 진정 사랑하는 상대이면 아이를 가지지 않는 것이 올바른 선택이라는 생각이 들 정도이지만 빅토리아 여왕은 마취 없이 무려 7번의 출산을 했다.

1844년에 라틴 아메리카에서 처음 제왕절개(cesarean section)를 성공적으로 시행하는 장면을 그린 그림이다. 탯줄이 달린 아기를 자궁으로부터 꺼내들어 올리고 있는 산부인과 의사와 그를 돕는 조수 그리고 산모를

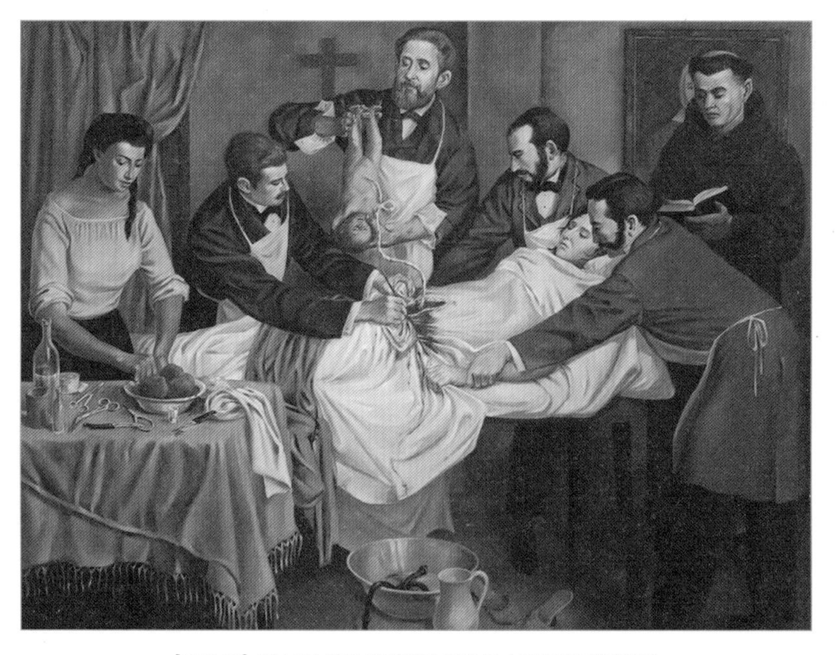

[그림 18] 1844년 라틴 아메리카 최초의 성공적인 제왕절개
(The first successful cesarean section in Latin America in 1844)
Enrique Grau(콜롬비아, 1920년~2004년), 제작 연도 미상

꽉 붙잡고 있는 두 사내들이 보인다. 이 그림에서 무엇보다 눈이 가는 사람은 산모 머리 위 있는 신부님이다. 신부님이 산모 옆에서 산모의 출산 장면을 보고 있는 이유는 새로운 생명이 태어나자마자 축복하기 위해서일까? 아니다. 이는 출산 중에 산모의 생명이 위험해졌을 경우를 대비하여 산모의 임종을 지키기 위해서이다. 얼마나 공포스러운 장면인가? 산모의 배를 수술 상처를 보이지 않게 하기 위해 현재 많이 사용하는 비키니 라인으로 접근(Pfannenstiel incision) 하지 않고 배꼽 아래를 정중앙으로 가르는 방법으로 접근(low midline incision) 하는 것이 인상적이다.

이 수술에서 마취는 누가 담당하고 있을까? 아기를 꺼내들어 올린 산부인과 의사일까, 신부님일까? 그림에서 산모를 제외하고 유일한 여성이 마취를 담당하고 있는 사람이다. 그녀는 여러해살이 풀인 합환채(mandrake)를 가지고 산모의 마취를 진행하고 있다. 신부님은 죽음을 대비해 서 있고 합환채를 사용해 마취를 했다니 그저 헛웃음이 나올 뿐이다.

수술은 환자와 수술하는 의사의 목숨을 건 모험

마취와 관련된 주변 이야기를 이어 나가려고 한다. 빅토리아(Alexandrina Victoria) 여왕으로 인해 마취의 발전이 이루어진 것과 함께 의학 자체의 발전을 이룬 계기가 되는 사건이 또 하나가 있다. 마취라는 개념 자체도 없었던 1800년대 수술은 그야말로 공포 그 자체였다.

통증으로 인한 환자의 비명과 절규 그리고 그곳에서 도망치려는 몸부림과 함께 살을 도려내고 뼈를 끊어내는 칼과 톱의 울림이 공존하는 혼란 속에서 수술이 시행되었다. 그 결과 수술이 성공적으로 이루어져 환부를 완벽히 제거했다고 하더라도 무균 또는 살균에 관한 무지로 인해 상처 부위가 감염되기 일쑤였고, 이 과정에서 수술하는 의사 역시 고스란히 병균에 노출되었다. 의과대학에서 이루어지는 실습 과정 역시 마찬가지였다. 어떤 보호 장비도 없이 해부 수업이 진행되었고, 조금이라도 더 자세히 공부하기 위해 조직을 파헤치다가 상처라도 입는다면 그

결말은 신의 손에 맡기는 수밖에 없었다. 내부 장기에 손상이 있는 환자라면 더욱 끔찍했다. 찢겨 나간 내부 장기를 단순하게 불로 지져 치료했고 그 상태로 환자는 병실에서 회복되기를 기다렸다. 다닥다닥 붙은 침상 사이에서 환자들끼리 서로에게 건네는 따뜻한 말 한마디도 어떤 감염원으로 서로를 공격하는지 전혀 알지 못했다. 엄청난 고통을 감당해야 하는 수술을 겪은 뒤에 성공적인 회복을 기원하며 찾아온 병실은 수많은 감염의 원천으로 작용했다.

1861년에 루이 파스퇴르(Louis Pasteur, 프랑스, 1822년~1895년)가 자연발생설*을 반박하는 실험을 발표함과 더불어 그의 살균법(germ theory)이 전 유럽으로 퍼져나가게 된다. 여기서 영감을 얻은 조지프 리스터(Joseph Lister, 영국, 1827년~1912년)는 이를 상처에 직접 사용할 수 있는 소독제에 대해 집중적으로 연구하기 시작한다. 클로로포름(chloroform)의 제조 과정에서 잠깐 설명했던 염화석회로 손 씻기를 제안한 제멜바이스(Ignaz Philipp Semmelweis)처럼 조지프 리스터는 상처 부위를 깨끗하게 씻고 석탄산(phenol, carbolic acid)으로 다시 한 번 씻어 주었더니 상처가 잘 아무는 모습을 확인한다. 그리고 상처 부위의 세균 감염이 상처를 악화시켜 패혈증 등으로 이끈다는 것과 이를 예방하기 위한 소독의 중요성을 설파했다.

여기에 더해 조지프 리스터는 소독법에 대한 연구와 함께 감염을 일으키는 여러 가지 원인에 대해서도 연구에 몰두했다. 그러던 중에 봉합을 위해 사용하는 실 자체가 감염원이 될 수 있다고 생각했다. 기존에 사용

* 자연발생설은(spontaneous generation)은 아리스토텔레스(Aristoteles, 그리스, -384년~-322년)가 주장한 것으로 생명체는 부모 없이 스스로 생길 수 있다는 가설이다.

[그림 19] 조지프 리스터 (Joseph Lister)

하던 실크로 만든 실은 녹지 않는 실로 염증 및 감염에 노출되기 쉬웠다. 조지프 리스터는 액체에서 녹아 없어지는 동물의 내장으로 만든 실을 통해 이 문제를 해결했다. 이러한 실은 그 당시에 현악기의 줄에 사용될 정도로 튼튼하고 저렴해서 수술에 사용하기 좋았으나 결정적인 단점을 안고 있었다. 수술에 사용하려면 일정 시간 매듭이 풀어지지 않고 잘 유지되는 것이 무엇보다 중요했지만 동물의 내장으로 만든 실은 몸 안에서 금방 녹아버렸다.

이 문제를 해결하기 위해 고심하다가 한 바이올린 연주자의 말에서 힌트를 얻어 해결책을 찾았다. "새 바이올린 줄이 아직 길이 덜 들어 연주하기가 쉽지 않네." 동물의 내장으로 만든 실을 길들이는 방법을 알아내기 위해 그 길로 조지프 리스터는 가죽 공장으로 달려갔다. 거기에서 크롬산(chromic acid)을 통해 실을 단단하게 만든다는 사실을 알아내고 이를 통해 석탄산과 크롬산에 동물의 내장으로 만든 실을 담그는 방법으로 몸 안에서 금방 녹지 않고 일정 기간 강도를 유지하는 수술용 실을 개발했다.

그가 개발한 장선(catgut)*은 오늘날에도 장 등의 봉합을 위해 사용되고 있다. 조지프 리스터의 석탄산 소독법과 장선은 처음에는 사람들에게 외면을 받았지만 1870년에 통일 독일을 이룩하려는 프로이센과 이를 저지

* 바이올린과 비슷한 중세 시대 작은 현악기의 kit와 소화기관을 의미하는 gut가 합쳐짐

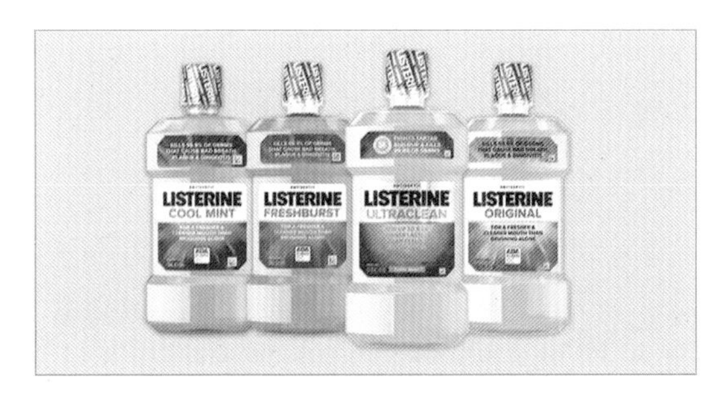

[그림 20] 리스테린(Listerine)

하려는 프랑스 사이에 벌어진 보불 전쟁(Franco-Prussian war)에서 부상자들의 생명을 획기적으로 구하기 시작하면서 많은 지지를 받게 된다.

1871년의 일이었다. 스코틀랜드에서 머물고 있었던 절대 존엄 빅토리아 여왕이 겨드랑이에 생긴 종기로 인해 몸져눕는 일이 벌어지게 된다. 이때 에든버러대학교(University of Edinburgh)에 있는 조지프 리스터가 여왕이 있는 발모럴 성(Balmoral Castle)으로 호출을 받는다. 그는 여왕을 클로로포름을 사용해 마취를 하고 종기를 자신이 개발한 방식대로 소독을 한 다음 고름을 깨끗하게 들어낸 뒤에 남은 피와 고름의 배출을 위해 고무로 된 배액관(drainage)까지 꽂아 상처 부위의 정리까지 완벽하게 진행했다. 마취와 소독이 함께 이루어져 성공적인 수술을 이끈 것이었다. 이로 인해 'God Save the Queen*'이 아니라 "Joseph Lister saved the Queen, using surgical procedure with aseptic technique under anesthesia."를 실행하게 된 것이다.

* 영국 국가 제목

이를 통해 마취와 소독은 더욱 빨리 대중 속으로 스며들게 된다. 여담으로 구강 청결제 제품 중에서 '리스테린'을 들어보았을 것이다. 이 리스테린이 조지프 리스터로부터 유래되었다.

빅토리아 여왕과 겨드랑이에 얽힌 재미있는 이야기가 하나 더 있어 간단히 소개하려고 한다. 세상 사람들이 가장 편안하게 즐겨 입는 옷 중의 하나는 아마 영어 알파벳 글자 T를 닮은 티셔츠(T-shirt)일 것이다. 이 티셔츠를 개발하는 데 일조한 사람이 바로 빅토리아 여왕이다. 빅토리아 여왕이 해군 군함을 시찰하려고 갔을 때의 일이었다. 해군들은 일을 할 때 소매가 없는 옷을 입고 일을 하곤 했었는데, 여왕께서 시찰하러 오셨을 때 선원들의 겨드랑이 털을 보면 불쾌하게 느끼시지 않을까 하고 고심하던 중에 소매가 없는 옷에 짧은 소매를 덧붙이라고 한 것이 계기가 되어 현재 우리가 입고 있는 티셔츠로 발전된 것이다.

경망스럽지만 조지프 리스터가 빅토리아 여왕의 겨드랑이 종기를 처치할 때 겨드랑이 털은 어떻게 했을까 궁금해진다. 수술할 때 제모를 꼭 해야 수술 부위의 감염을 줄일 수 있다는 생각이 과거에는 지배적이었다. 그렇지만 지금은 수술에 방해가 되지 않는다면 굳이 제모는 시행하지 않는 것이 좋고 제모 방법 역시 가능한 한 상처가 나지 않는 방법으로 해야 하며 수술 직전에, 즉 수술 전 24시간 내에 제모하는 것이 좋다고 알려져 있다.

빅토리아 여왕은 알려진 것만 하더라도 총 3번의 마취*를 받았다. 잦은 마취를 받은 여왕의 몸은 괜찮았을까?

---

* 2번의 무통분만 그리고 1번의 수술

9
마취 중 사망

마취 기술이 있기 전에는 수술에 소요되는 시간이 성공을 좌우했다. 특히, 사지 절단 수술에서 수술하는 의사가 얼마나 빨리 사지를 절단하는지에 따라 수술 성적이 달라졌다. 꼭 그렇지는 않지만 지금도 수술을 오랫동안 하는 의사는 그 꼼꼼함에 대해 칭찬을 하는 것이 아니라 조직을 더 손상시킬 수 있고 수술 관련 부작용이 좀 더 많이 생길 수 있어 좋지 않은 수술 성적을 보일 가능성이 크다. 마취통증의학과 의사에게도 수술에 참여하는 다른 간호사에게도 수술을 오랫동안 진행하는 의사는 같은 팀 동료로서 환영받기가 어렵다.

전설적인 외과 의사 로버트 리스턴(Robert Liston, 스코틀랜드, 1794년~1847년)은 사지 절단 수술에서 빠른 속도로 유명했다. 그는 단지 2분 30초에 다리 하나를 절단할 수 있는 능력을 가졌다고 전해진다. 그렇지만 이러한 빠른 속도는 그의 수술 성적에 좋지 않은 결과를 초래했다. 한 번은

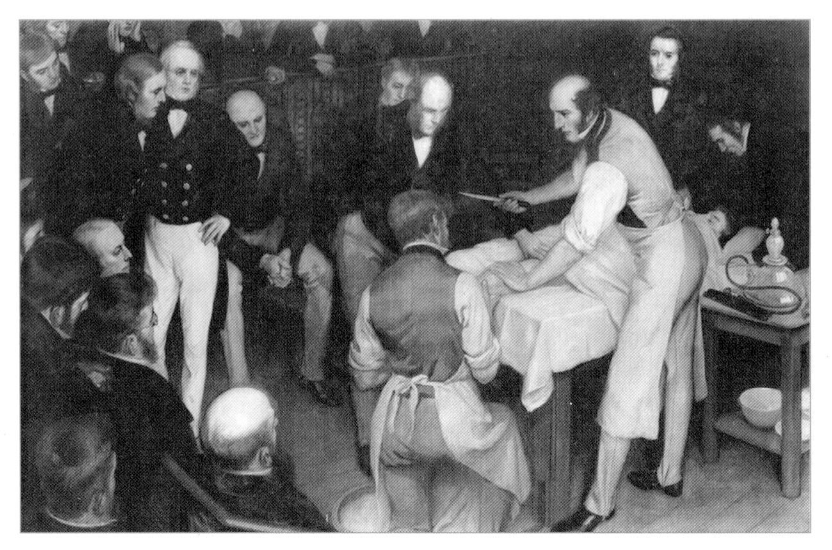

[그림 21] 로버트 리스턴의 수술(Robert Liston operating)
작가 미상

환자의 다리를 자르는 동안에 실수로 그의 고환을 함께 잘라내는 실수를 했다. 그의 최악의 실수는 훨씬 심각했다. 마취 약제가 없어 사지 절단 수술 시에 여러 사람들이 환자를 움직이지 못하게 잡고 있어야 했다는 사실은 이러한 빠른 속도의 절단 수술에서 때로는 엄청난 부작용을 초래했다. 그는 칼을 빠르게 놀리다가 실수로 그의 조수의 손가락을 함께 잘라버렸다. 이 과정에서 환자와 그의 조수는 감염 문제로 인해 모두 사망하게 된다. 여기서 끝이 아니었다. 그가 기구를 바꾸면서 수술을 진행할 때 옆에서 수술을 참관하던 한 사람의 옷을 찔렀는데 이에 놀라 그 자리에서 쇼크로 죽는다. 경이적인 기록이라고 아니할 수 없다. 사망률(mortality)이 300%였다.

이러한 사실을 가지고 로버트 리스턴이 정말 형편없는 의사였다고 오해하지는 않았으면 좋겠다. 단지 그는 마취 기술이 없었고 소독이란 개념이 없었던 시기에 힘겹게 환자들을 지켰을 뿐이다. 사실 그는 에테르(ether) 마취를 처음 유럽에서 시연했던 의사였다. 게다가 그의 가르침을 통해 성장한 두 제자는 마취와 소독이라는 두 가지 영역에서 금자탑을 이룩했다. 그의 두 제자의 이름은 클로로포름(chloroform)을 마취에 적용한 제임스 심프슨(James Young Simpson)과 소독의 중요성을 설파한 조지프 리스터(Joseph Lister)이다.

마취 기술의 도입은 사망률 300%의 불상사를 막을 수 있었다. 그렇지만 1847년 11월 4일에 제임스 심프슨에 의해 시작된 클로로포름을 이용한 마취는 앞서 언급한 종교적인 문제 외에도 더 큰 문제가 놓여 있었다. 1848년 7월 12일에 15세의 건강했던 한 그리너(Hannh Greener)라는 소녀가 클로로포름 마취 후 사망하는 사건이 일어난다. 사실 그녀는 클로로포름으로 마취하기 몇 달 전에 내향성 발톱(ingrowing toenail)을 수술하기 위해 디에틸에테르(diethyl ether)를 통해 성공적인 마취를 경험했다. 하지만 그날은 운이 좋지 않았다. 같은 수술을 토마스 N. 메기슨(Thomas Nathaniel Meggison)은 곧바로 집도했고 수술 전 찻숟가락으로 클로로포름을 그녀의 코에 덮은 헝겊에 뿌렸으며 그녀는 코로 클로로포름을 흡입했다. 그녀는 자신의 손을 무릎 위에 얌전히 올려놓고 몇 번의 호흡을 더 했다. 수술을 진행해도 문제가 없어 보였다. 수술을 위한 첫 번째 절개(first incision)가 시작되었다. 갑자기 그녀가 몸을 홱 움직였다. 곧바로 절개(incision)를 멈추고 클로로포름을 코에 덮은 헝겊에 좀 더 뿌렸다. 그리고 마취 깊이를 알아보기 위해 그녀의 눈꺼풀을 뒤집어 보았다. 그녀의 눈은 생기를 잃고 몸은 움직이지 않았다. 깜짝 놀라 그녀를 깨우기 위해 물을 그녀의 얼굴에 뿌렸으나 미동조차 하지 않았다. 그녀의 생과 사를 갈라놓은 시간은 클로로포름을 흡입한지 고작 3분이 넘지 않는 짧은 시간이었다.

다음날 부검을 통해 그녀의 사인은 폐울혈(pulmonary congestion)로 밝혀졌다. 나중에 밝혀진 이야기지만 동물 실험을 통해 클로로포름이 폐울혈을 유발한다는 사실이 증명되었다. 그녀의 사인은 "클로르포름에 의한 폐울혈(pulmonary congestion, produced by the direct effect of chloroform)" 이었다. 실제로 영국 더럼(Durham)의 윈라톤(Winlaton) 교구에 있는 그녀의 매장 기록을 살펴보면 다음과 같이 쓰여 있다. "클로르포름에 의한 사망(Died from the effect of Chloroform)". 그녀는 공식적으로 처음 마취에 의해 사망한 사람으로 역사에 기록되었다.

한 그리너의 죽음은 마취에 대한 부정적인 시각에 힘을 실어 주었고 이에 대한 논쟁은 빅토리아 여왕의 클로로포름을 통한 무통분만에 이르기까지 계속되었다.

10
치명적인 문제

유흥의 목적으로 쓰인 아산화질소(nitrous oxide)나 에테르(ether)를 흡입하면 정말 기분 좋게 웃고 편안하게 아무 일 없었던 것처럼 개운하게 깨어날까? 현재 아산화질소를 제외하고 에테르나 클로로포름(chloroform)은 더 이상 마취 목적으로 사용되지 않는다. 제일 먼저 쓰인 약물은 살아남아 아직까지 사용되고 있지만 후에 사용되었던 약물은 시장에서 퇴출되어 자취를 감춘 것이다. 무슨 일이 있었던 것일까?

완벽하게 장점만 가지고 있는 약물은 세상에 없을 것이다. 장점이라고 생각하는 부분이 다른 측면에서는 단점이 되고, 단점이라 생각하는 부분이 다른 측면에서는 장점이 될 수 있다. 예를 들어 짧은 수술을 위한 마취에는 약효가 긴 마취약제가 마취에서 회복되는 시간이 오래 걸리는 것이 단점이 될 수 있다. 반대로 긴 수술을 위한 마취에는 자주 마취 약제를 주지 않아도 되는 장점이 될 수 있을 것이다. 처음 세상에 등장한 마취 약제인 아산화질소는 사실 단독 마취 약제로 쓰이면 그 효과가 약해 만족할 만한 마취 효과를 보이지 않았다. 그러나 이러한 단점은 이후에 등장한 다른 흡입마취 약제를 사용할 때 보조적으로 함께 사용되어 다른 흡입마취 약제들의 사용량을 줄이게 되었으며, 이러한 흡입마취 약제들의 부작용을 줄이고 경제성에도 도움을 줄 수 있게 된다. 아산화질소에 대한 효과 및 부작용 등에 대해서는 뒤에서 다시 한 번 정리할 것이다.

에테르의 가장 큰 문제는 자극적인 냄새에 있었다. 흡입마취 약제는 코로 들이마셔야 되므로 자극적인 냄새는 치명적인 약점일 수밖에 없었다. 들이마셨을 때 자극적이거나 역겹지 않은 흡입마취 약제를 기대했는데 클로로포름이 그러한 약제였다. 특히, 당시에는 생명의 탄생이라는 축복받아야 하는 일이 '분만 = 고통 = 죽음'이라는 등식이 성립되는 환경이었다. 산모에게 분만의 고통에 대한 기억은 줄여주었더라도 자극적인 에테르를 흡입하는 순간에 분만에 따른 고통과 죽음에 대한 공포를 떠올렸을지 모르겠다.

수술 전 금식에 대한 개념이 정확히 언제 도입되었는지 모르겠지만 분만할 때 태아가 수월하게 세상에 나오고 산모의 기력이 빠지지 않도록 속을 든든하게 채운 산모는 이 자극적인 냄새에 더욱 취약할 수밖에 없었을 것이다. 지금도 종종 이슬이 맺혀 분만하기 위해 집을 나서는 산모들 중에는 병원에 가면 계속 굶기므로 힘을 주기 위해 더욱 든든하게 먹고 가는 산모들이 있다고 들었다. 소위 순풍순풍 아이를 낳는 것은 쉬운 일이 아니고 굶어서 힘이 없다면 더 쉽지 않겠지만 금식하지 않아 생길 위험을 생각한다면 이는 정말 해서는 안될 일이다. 출산이 임박한 산모에게 금식을 시키는 것은 혹시 모를 자연 분만의 실패를 대비하기 위한 것이다. 자연 분만에 실패하면 분만실 아닌 수술실에서 새 생명을 맞이하게 될 준비를 해야 되고 이런 일이 언제 닥칠지 모르니 무작정 금식을 시킬 수밖에 없는 것이다.

수술하기 전에 금식, 정확히 말해 마취하기 전에 금식을 하는 가장 중요한 이유는 다음과 같다. 우선, 마취 상태가 되면 근육이 이완된다. 소화기계의 근육 이완은 섭취했던 음식물이 위에서 소장 및 대장으로의 움직임이 제한된다는 의미이다. 게다가 위에서 식도로 음식물이 넘어가지 못하게 하는 괄약근까지 그 기능이 떨어지게 된다. 다시 말하면 한 마디로 음식물을 넣은 용기의 뚜껑이 잘 밀봉되도록 닫힌 상태가 아닌 열린 상태가 되는 것이다. 이때 소화기계에 가해지는 약간의 자극은 음식물이 위에서 식도로 역류될 수 있게 만들고, 이는 곧 음식물이 기도로도 넘어갈 수 있는 상황을 만들게 되는 것이다. 또 마취로 인해 정신을 잃은 상태라는 것은 환자가 스스로 음식물을 뱉어 내지 못하는 것이므로 더욱 위험이 가중되는 상황이라고 할 수 있다. 술에 엄청 취해 구토를 하는데 위에서 넘어온 토사물을 뱉지 못하고 입 안에 가득 머금고 있는 상황을 생각해 보면 마취 전에 금식하지 않는 위험이 피부로 와 닿을 것이다. 여기서 한 가지 더 덧붙이면 보통 마취 전에 금식 8시간을 준수해야 한다고 이야기를 하더라도 환자의 상태에 따라 위에 음식이 전혀 남아 있지 않을 수도 있지만 그렇지 않을 수도 있어 더욱 주의가 필요하다.

그렇지만 클로로포름도 한 그리너의 사례에서 본 바와 같이 흡입할 때 자극적이지 않을지라도 인체에 치명적인 독성, 특히 간과 심장에 영향을 미치게 되어 여왕을 마취했던 독보적인 흡입마취 약제로서의 지위에서 퇴출당하게 된다.

마취인가, 기절인가

에테르(ether)와 클로로포름(chloroform)을 가지고 마취하는 방법에 대해 설명하려고 한다. 이 두 가지는 흡입마취 약제로 코나 입을 통해 기도로 흡입되어야만 그 효과를 나타낼 수 있다. 영화나 드라마에서 한 번쯤 이러한 장면을 본 경험이 있을 것이다. 어떤 사람이 은밀하게 뒤쪽에서 다가와 코와 입을 헝겊으로 감싸면 몸부림치다가 금방 정신을 잃고 쓰러지는 장면을 말한다. 혹시 이러한 생각을 해 보았는지 모르겠다. '우와! 흡입마취 약제가 진짜 금방 효과를 보이는구나.' 하지만 마취통증의학과 의사가 해당 장면을 보게 되면 '저렇게 코와 입을 꽉 틀어막으니까 숨이 막혀 기절하는 것이지.'라고 생각할 것이다.

아산화질소(nitrous oxide), 즉 웃음가스(laughing gas)에 대해 먼저 살펴보자. 아산화질소의 효과를 맛보기 위해서는 해피벌룬(happy balloon)처럼 풍선에 아산화질소를 충전한 뒤에 입을 대고 빨아 마취 효과 또는 환각 효과를 맛보게 된다.* 입을 통해 들이마신 아산화질소는 식도가 아닌 기도를 통해 들어가 폐포에서 혈액으로 흡수되어 뇌에 그 효과를 나타내게 되는 것이다. 에테르와 클로로포름을 마취를 위해 사용했을 때 그림들을 보면 헝겊으로 흡입마취 약제를 적셔 환자의 코와 입을 틀어막는 모습을 보여 준다. 이와 같이 코와 입을 통해 호흡할 때 흡입마취 약제가 함께 흡입되어 흡입마취 약제가 기도에서 폐포 그리고 혈액 순환을 거치면서 뇌를 통해 효과를 나타내게 되는 것이다.

인체에 투여된 약물은 동일한 용량을 투여했다고 하더라도 성별, 체중, 기저 질환 등에 따라 혈중에서 농도가 달라지며, 이에 따라 나타나는 효과가 달라질 수 있다. 이에 대한 적절한 설명을 위해 프로포폴(propofol)을 투여하여 확장소파술(dilation and curretage)를 진행하다가 사고를 낸 어느 산부인과 의사가 한 말을 소개하고자 한다. "나는 프로포폴을 약품 설명서에 적힌 내용을 보고 그대로 주입했을 뿐이다." 환자가 죽은 사건에서 해당 산부인과 의사는 환자의 죽음에 대해 자신은 잘못이 없고 약품 설명서를 적은 회사가 잘못한 것이라고 하는 것이다. '이러한 사람을 의사라고 할 수 있을까?' 게다가 비겁하게도 자신의 책임을 회피하기까지 했다. 의과대학에서 제대로 공부했다면 환자에 따라 약물의 효과는 다르게 나타날 수 있음을 알고 있어야 하는 것이다. 그리고 모든 약품 설명서에는 이에 대해 명확하게 사용 중의 주의 사항으로 기록되어 있다. 따라서 환자의 상태를 잘 파악한 뒤에 약물 투여량을 조절해야 하는 것이다.

여기서 하나의 질문이 생긴다. 그러면 헝겊에 적셔진 흡입마취 약제는

---

* 소지, 판매, 제공하면 3년 이하의 징역형 또는 5,000만 원 이하의 벌금형을 받게 되는 범법 행위임.

모든 환자에게 동일하게 효과를 나타내는 것일까? 당연히 그렇지 않을 것이다. 사실 흡입하여 사용하는 약이 먹는 약이나 근육 또는 혈관으로 주입되는 약에 비해 약물의 인체 흡수 기전이 훨씬 더 복잡하다. 약물이 투여되었을 때 신체 내 농도가 어떻게 변할 것인가에 관한 학문을 약동학(pharmcokinetic)이라 하고, 이 약물이 실제 어떤 효과를 나타내는 것인가에 관한 학문을 약력학(pharmcodynamic)이라고 한다. 흡입하여 사용되는 약물들은 다른 경로를 통해 흡수되는 약물들에 약동학이나 약력학 측면에서 살펴볼 때 적정 용량을 투여하기 위해 좀 더 고려해야 될 사항이 있다.

약동학과 약력학을 고려하여 에테르와 클로로포름의 투여 방법에 대해 살펴보자. 우선, 에테르나 클로로포름처럼 용액으로 되어 있는 흡입마취 약제를 헝겊에 어느 정도 적셔야 원하는 효과를 나타낼 수 있을지를 가장 먼저 고민해야 하는 문제이다. 찻숟가락을 사용해 환자의 반응을 보면서 조금씩 주는 방법도 있을 것이다. 이는 정확히 한 그리너에게 클로로포름을 투여했던 방법이지만 이는 결국 한 소녀의 죽음이라는 비극으로 끝이 나버렸다. 이는 클로로포름에 의한 죽임이지만 한 그리너가 클로로포름에 민감한 까닭에 약물 이상 반응이 나타났던 것일 수도 있다.

다음 문제로 넘어가 보자. 흡입마취 약제이므로 앞에서 언급한 것처럼 호흡을 통해 흡수되어 효과를 나타내게 된다. 그러면 어느 정도 호흡을 해야 효과를 나타낼 수 있을까? 다시 말해 평소에 호흡하는 것처럼 시행하면 바로 마취에 빠져들 수 있을까? 아니면 호흡을 더 깊고 크게 해야 하는 것일까? 그리고 호흡할 때 헝겊은 코와 입을 어느 정도 밀폐해야 할까? 당연히 호흡을 깊고 크게 시행하면 할수록 흡입하는 약물은 늘어날 수밖에 없다. 천식(asthma)의 치료를 위해 사용하는 흡입제(inhaler)의 경우도 숨을 깊고 크게 시행하여 흡입 약물이 폐 전체로 골고루 퍼져야 효과가 잘 나타난다. 단순하게 숨을 깊고 크게 하지 않고 호흡 횟수만을 늘리면 안 된다.

호흡생리학에서는 이를 수학적으로 설명할 수 있다. 1분 동안 호흡하는 양(minute ventilation)은 1회 호흡량(tidal volume)에 1분 동안 호흡 횟수(respiratory rate)를 곱하면 구할 수 있다(minute ventilation = tidal volume× respiratory rate). 당연히 1회 호흡량이나 호흡 횟수를 증가한다면 1분 동안 호흡하는 양을 늘릴 수 있다. 그러므로 달리기를 하거나 물리적인 신체 활동을 격하게 하면 몸에 산소를 더 공급하기 위해 심장뿐만 아니라 호흡 횟수도 빨라지는 것이다. 그런데 평상시의 호흡 횟수보다 2배 이상 빨리 호흡을 한다 생각해 보고 호흡 횟수를 늘려 보면 어떻게 될까? 잠시 시간을 가지고 직접 시도해 보면 알겠지만 숨 쉬는 행위가 훨씬 힘들어짐을 느끼게 될 것이다. 이는 호흡에서 숨을 들이마시는 동작뿐만 아니라 내쉬는 과정도 중요한데 빠른 호흡은 결국 1회 호흡량을 줄이고 숨을 내쉬는 과정에서 호흡 저항을 크게 생성하여 효과적인 산소의 흡입과 이산화탄소의 배출을 달성하지 못하게 되는 것이다. 이렇듯 호흡으로 흡입마취 약제를 전달하는 것은 쉽지 않은 일임이 분명하다.

이제 흡입마취 약제를 적신 헝겊에 대해 한 번 생각해 보자. '도모지(塗貌紙)'에 대해 알고 있는가? 어떤 수단과 방법을 쓰더라도 해결되지 않는 상황에서 쓰이는 부사 중의 하나가 '도무지'이다. 아무리 시도하여도 방법이 없다는 뜻의 부정적인 부사이다. '도무지 모르겠다.'에서 이 도무지의 어원을 민간에서는 도모지에서 찾고 있다. 도모지는 조선 시대 행해졌던 사형 방식이다. 처형당할 사람을 움직이지 못하게 결박하고 얼굴 위에 물을 흠뻑 적신 종이를 한 장, 두 장 계속해서 겹겹이 쌓아올려진 종이가 코와 입에 달라붙어 비명조차 지르지 못하고 질식하여 죽음에 이르게 하는 형벌이다. 흡입마취 약제를 어느 정도 헝겊에 적셔야 환자가 숨은 편안하게 쉬면서 마취 효과를 나타낼 수 있을까? 찻숟가락으로 하는 정량 방법으로 정확하게 마취 효과를 조절하는 것을 기대하는 것 자체가 무리였을 것이다. 헝겊으로 코와 입을 막는 것도 환자가 편안히 숨을 쉬면서 주변으로 흡입마취 약제가 날아가지 않도록 말 그대로 '기술 좋게 적당히 잘'해야 하므로 마취 효과의 조절은 쉽지 않았을 것이다.

여기서 엉뚱하지만 정말 그랬을지 모를 상상을 몇 가지 해 본다. 코와 입을 막은 헝겊에 보푸라기가 있어 환자가 재채기를 크게 하고 그로 인해 헝겊에 쏟아 부은 흡입마취 약제는 마취하는 의사에게 날아가고 이로 인해 예상치 못하게 마취하는 의사에게 효과가 나타나게 되면 환자와 의사가 모두 잠에 빠져버리는 일이 벌어질 것이다. 이와 달리 환자는 멀쩡한데 의사만 잠에 빠져 환자가 잠든 의사를 깨우는 상황이 벌어진다면 정말 당황스러울 것이다. 제임스 심프슨이 클로로포름을 찾은 일화처럼 헝겊에 쏟아 부을 클로로포름을 잘못 조절하면 일어나지 않으리라고 보장하지 못할 상황이다.

12
마취 깊이의 조절

의과대학을 졸업하고 의사 면허를 취득하기 위한 시험을 통과하면 그 때부터 의사라는 명칭이 따라다닌다. 하지만 아직 경험이 뒷받침되지 않은 초보 의사일 뿐이다. 단지 의사 면허가 있다는 이유로 환자의 여러 상황을 고려하지 않고 의과대학 시절에 책에서 읽고 자신의 머릿속에 넣어둔 설익은 단편적인 정보들을 내뱉어 혼란을 야기하는 사람들을 종종 볼 수 있다. 의사가 되기 위한 첫 관문이 의과대학을 졸업하고 의사 면허를 취득하는 것이지만 임상 경험이 충분하지 않으면 결국 아무 쓸모없는 말 그대로 책을 통해 익힌 간접 경험밖에 하지 않은 의사일 뿐이다. 말 그대로 불완전한 반쪽 의사인 것이다.

의사 면허를 받는 순간부터 이 업을 내려놓을 때까지 항상 가슴속에 간직해야 되는 것이 자신은 항상 불완전한 의사임을 인지하고 있는 것이다. 자신이 무지 또는 실수할 수 있음을 항상 인식하고 있는 의사는 환자에게 조심하고 공부하여 그 무지와 실수를 끌어안고 더욱 나아갈 수 있다. 하지만 그렇지 못한 의사는 결국 자만에 빠지게 되며 환자뿐만 아니라 본인에게도 씻을 수 없는 치명적인 결과를 낳게 된다. 결국 의사 면허는 평생 공부하며 살아가야 하는 숙명을 나타내는 것이다.

영화 속에서 등장하는 환자의 걸음걸이 한 번으로 모든 것을 알아내는 젊은 멋진 의사는 현실에는 존재하지 않는다고 생각하는 것이 맞을 것이다. 여러 전문 분야로 나누어져 있는 현대 의학에서 분초를 다투면서 쏟아져 나오는 의학 지식을 한 사람이 모두 알기는 불가능하다. 그래서 의사는 더욱 자만에 빠지면 안 되는 것이다. 말끔한 정장 차림의 의사를 상상했다면 머릿속에서 완전히 지워버려야 한다. 의사는 지식으로 무장하고 환자의 곁에서 공부하는 사람이다.

내과 의사는 많은 환자를 만나 진찰하는 과정을 거쳐야 더욱 정확한 진단과 치료를 할 수 있으며, 외과 의사는 많은 환자에게 칼을 대는 경험을 통해 더욱 성장하는 것이다. 환자는 결국 의사의 스승이다. 이처럼 의사에게 정장 차림은 사치일 뿐이다. 의사는 평생 공부해야 하는 지식 노동자이고, 환자의 가슴을 읽어 내는 감정 노동자이며, 지친 몸에도 자신의 몸을 움직여 환자를 치료하는 육체 노동자인 것이다. 돈과 명예를 좇는 의사는 의사가 아니라 단지 의학을 파는 사람일 뿐이다. 의학 지식을 바탕으로 좀 더 친근하게 대중에게 다가가는 것도 중요하지만 그것을 빌미로 자기 장사를 하는 의사가 많은 것은 안타까운 사실이다. 너무 뜬금없는 사설이라고 생각할 수 있겠지만 꼭 한 번은 언급하여 강조하고 싶었다.

여하튼 헝겊에 적신 흡입마취제를 사용하는 것은 여러 가지 문제가 많았다. 그래서 흡입마취 약제를 보다 효과적으로 환자에게 전달하는 방법에

[그림 22] 모턴의 흡입기(The Morton's Inhaler)

대한 연구들이 시작되었다. 웃음가스(laughing gas)를 흡입하는 방법처럼 밀폐된 통에 흡입마취 약제를 흠뻑 적신 헝겊을 두고 한쪽 끝부분에 입을 대고 담배를 피우는 것처럼 빨아 마신다면 어떨까? 사실 1846년 10월 16일 윌리엄 T. G. 모턴(William Thomas Green Morton)에 의해 마취가 처음 시연되는 에테르 돔에서 이 장치가 사용되었다. 투명한 용기의 두 곳에 구멍을 내고 용기 안에는 해면*을 넣어 한쪽 구멍을 통해 에테르(ether)를 주입해 해면을 적셔 다른 한쪽 구멍은 환자 쪽에 가져다 대어 에테르를 흡입하게 했다. 웃음가스를 흡입하는 방법처럼 입으로 흡입마취 약제를 빨아들이기 위해 흡입마취 약제가 기화되어 흘러나오는 입구를 환자가

* sea sponge, 물을 잘 흡수하는 성질이 있어 주방에서 그릇을 씻는 데에 이용됨, 현재 주방에서 사용하는 '스펀지'는 주로 합성수지로 만들지만 이 단어의 유래가 바로 sea sponge임

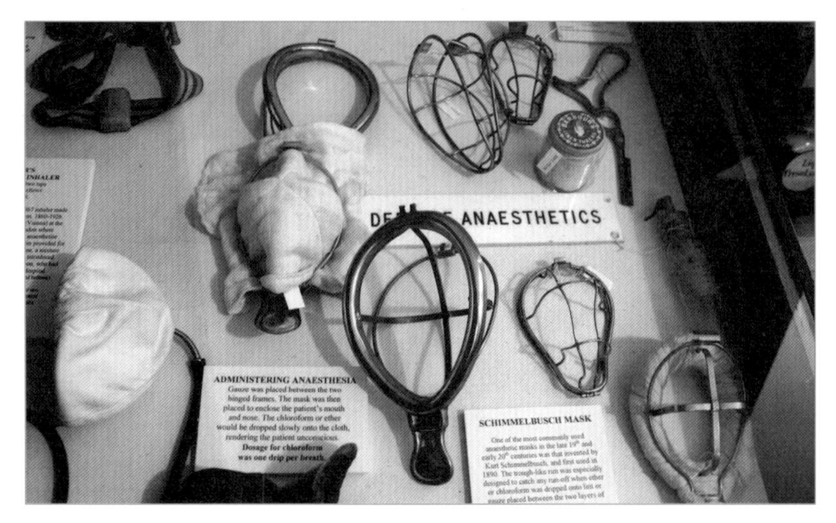

[그림 23] 슈멜부슈 마스크(Schimmelbusch mask)

입으로 물고 마신 흡입마취 약제가 다시 대기 중으로 빠져나오지 않도록 보조자가 환자의 코를 꽉 막는 경우도 있었다. 에테르를 흡입하는 쪽에 잠금장치를 두어 에테르를 흡입하는 양을 조절했다. 코를 막고 입으로만 숨을 쉬는 것은 잠깐이지만 환자에게는 불편한 상황이었을 것이다.

또 다른 방법을 생각해 보자. 코와 입을 막을 수 있는 마스크를 만든 후 그 마스크 위에 헝겊을 올려놓고 흡입마취 약제를 조금씩 부어 주면 숨을 편안히 쉬면서 흡입마취 약제를 들이마실 수 있지 않을까? 1889년에 커트 T. 슈멜부슈(Curt Theodor Schimmelbusch, 독일, 1860년~1895년)가 약물 송달 시스템(DDS:drug delivery system)을 개발한 방법이 바로 그것이었다. 도모지처럼 코와 입에 직접적으로 헝겊을 대지 않고 코와 입을 막을 수 있는 철제 프레임으로 마스크를 만들어 마스크가 코와 입을 덮더라도 숨을 편안히 쉴 수 있도록 만들고 마스크의 위쪽에 부드러운 거즈를 몇 장 덧대어 그 위로 조금씩 흡입마취 약제를 몇 방울씩 떨어뜨려 환자가 자연스럽게 호흡하면서 흡입마취 약제를 들이마실 수 있도록 만들었다. 이러한 방법은 윌리엄 T. G. 모턴이 개발했던 약물 송달 시스템에 비해 좀 더 확실하게 흡입마취 약제를 환자에게 전달할 수 있을 뿐만 아니라 흡입마취 약제가 직접 환자의 피부에 닿아 자극을 주는 것도 막을 수 있었다. 하지만 이 방법은 마취를 받아야만 하는 환자 외에도 다른 사람들이 흡입마취 약제에 노출되는 문제가 여전히 남아 있었다. 이러한 방법을 말 그대로 개방점적법(open-drop method)이라고 한다. 커트 T. 슈멜부슈가 개발한 이 마스크는 슈멜부슈 마스크(Schimmelbusch mask)라 불리며 1950년대까지 사용되었다.

전공의 시절에 슈멜부슈 마스크를 사용하셨던 교수님은 "액체 상태의 흡입마취 약제를 떨어뜨려 거즈를 적신 후 휘발되어 날아가는 흡입마취 약제를 들이마셔 마취 효과가 발생되는 것이므로 마취 시간이 오래 필요한 환자는 많은 흡입마취 약제를 사용하게 되고 이로 인해 증발되는 흡입마취 약제가 주변의 온도를 낮추게 되고 환자의 얼굴이 엄청 차가워져 이후 고생했다."라고 경험담을 전해 주셨다. 심지어 슈멜부슈 마스크와 얼굴이 함께 얼어붙어 조심스럽게 떼어내느라 힘들었다고 하는데 정말 믿기지 않는 이야기이다.

이러한 마스크를 이용하여 마취하는 방법은 외과 수술에 비해 상대적으로 쉬운 기술이라 생각해서 많은 트레이닝이 필요하지 않다고 생각했다고 한다. 찢고 꿰매고 두드리고 삐뚤어진 것을 맞추는 고상해 보이는 외과 수술에 비해 환자의 코와 입을 막고 환자의 상태와 수술 진행 상태를

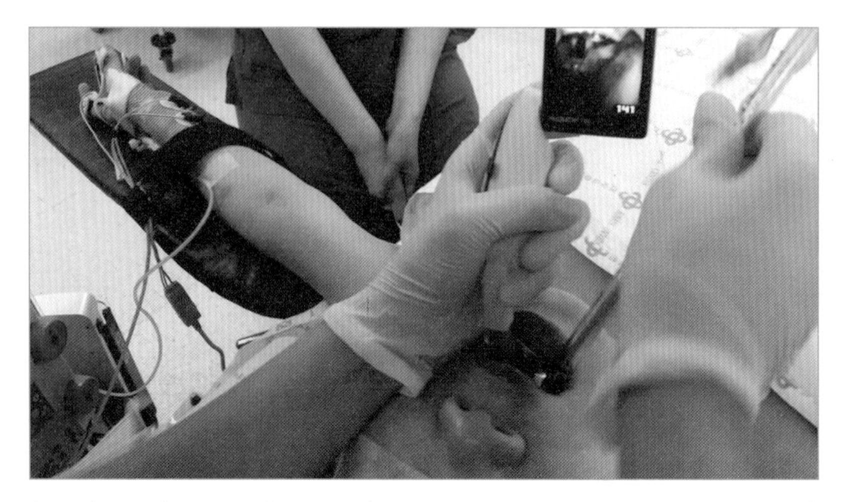

[그림 24] 비디오 후두경을 이용한 기관내 삽관(Endotracheal intubation, using video laryngoscopy)
호흡이란 공기의 흐름이 코와 입으로 시작해서 후두와 기관지를 지나 폐까지 이르면서 시작되게 된다. 후두경(laryngoscopy)은 후두를 보여주는 장치로써 몸 밖에서 어두운 몸속을 보여주기 위해 혀를 제치는 날(blade)의 끝에 광원이 부착되어 있다. 기술이 발전하면서 광원과 함께 카메라가 같이 부착되어 보다 쉽게 기관내삽관(endotracheal intubation)을 시행할 수 있게 되었다. 그림에서도 카메라를 통해 후두개(epiglottis)와 성문(glottis)이 보이고 마취통증의학과 의사가 기도 관리를 위해 성문을 향해 삽관(intubation)을 시도하고 있다.

보며 마취를 하는 것이 훨씬 단순한 일인지 생각해 보기를 바란다. 그렇지만 마취에 관한 학문이 외과 수술에서 파생된 것은 부정할 수 없는 현실이므로 소모적인 언쟁은 삼가는 것이 현명할 것이다. 이로 인해 마취를 소위 외과 기술이 좋지 않은 의사에게 맡기거나 간호사에게 맡기는 경향이 있었다고 한다. 참으로 안타까운 일이다. 사실 마취라는 개념에 대해 잘 모르던 시절이므로 마취는 그저 서비스의 하나 정도로 가볍게 생각했을 수도 있다. 마취 관련 학문이 발달한 지금도 마취는 외과에서 파생되었으므로 외과를 위해 존재하는 부문으로 폄훼하는 사람들이 적지 않다.

그렇지만 하나의 서비스 정도로 생각하는 마취가 전체 수술의 결과를 결정짓는 가장 중요한 요소 중의 하나인 것을 알고 있는지를 반문해 보고 싶다. 이에 대해서는 뒤에서 다시 한 번 언급할 것이다.

흡입마취 약제를 좀 더 확실하게 환자의 기도에 전달해 주면서 주위 사람들에게 흡입마취약제의 영향을 최소화하는 방법에 대한 연구들이 계속되었다. 사실 해부학을 생각하면 굉장히 간단한 문제였다. 흡입마취 약제는 호흡을 통해 몸으로 흡수되니 기도에 직접 흡입마취 약제를 주면 되는 것이었다. 기도에 직접 흡입마취 약제를 주기 위해서는 환자의 몸에 기도로 들어가는 구멍을 직접 내지 않고도 코든지 입이든지 어느 경로를 통하든지 기도에 흡입마취 약제를 주입할 수 있는 관을 넣어 흡입마취 약제를 주면 되는 것이었다. 마치 더욱 먹음직한 푸아그라(foie gras)를 얻기 위해 거위의 목에 깔때기를 꽂아 먹이를 주는 것에 비유할 수 있겠다. 보다 효과적인 흡입마취 약제의 약물 송달 시스템을 얻기 위한 노력이 계속되었고, 이와 함께 소리에 관심이 있는 이비인후과 및 두경부외과 의사들의 소리의 원천이며 기도로 통하는 관문인 성문(glottis)을 직접적으로 보기를 원하는 열망이 있었다. 더불어 환자의 얼굴 쪽 수술을 하는 데 있어 마취를 위해 코와 입을 덮고 있는 마스크와 그 마스크를 감싸고 있는 손을 없애기를 원한 요구가 더해져 이 문제를 해결하는 데에 원동력이 되었다.

그리고 1800년대 말과 1900년대에 일어났던 여러 전쟁으로 인한 외과 수술의 증가는 환자에게 흡입마취 약제를 확실하게 제공하면서 수술이 마취로 인해 방해받는 것을 최소화하고 기도로 이물질이 들어가는 것을 막는 여러 기구들의 발전을 촉진시켰다. 현재도 사용되고 있는

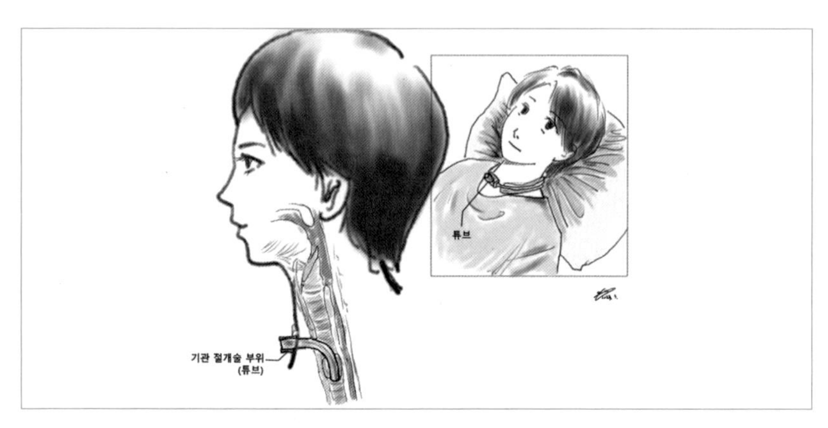

[그림 25] 기관절개술(tracheostomy)

해부학적으로 목 주변의 기도는 얇은 피부, 근육 등으로 덮여 있어 후두경(laryngoscopy)이 발명되어 직접 성대(glottis)를 볼 수 있고 이를 통해 관(튜브)을 넣을 수 있는 시대가 도래하기 전까지 기도를 확보하는 가장 쉬운 방법은 기관내절개술(tracheostomy)이었을 것이다. 그렇지만 이렇게 기도를 절개하는 과정에서 생기는 예상치 못한 출혈, 감염 등에 대해 적절한 조치 과정은 안타깝게도 당시 정립되어 있지 않았기에 기도 확보가 절실한 상황에서도 기관내절개술은 선택하기 쉬운 방법은 아니었을 것이다. 근래에 와서는 기도 확보를 위해 비침습적인 방법으로 기관내삽관(endotracheal intubation)을 하는 것이 선호되지만 장기간 유지하면 오히려 성대 주변에서 발생하는 문제, 감염 등의 합병증으로 기관내절개술로 대체되기도 한다. 장시간 병원 생활을 하며 중환자실까지 있던 사람들에게서 종종 목에 절개 자국이 난 것을 불 수 있는데 이것이 바로 기관내절개술 후의 흉터이다.

기관내삽관(endotracheal intubation)과 후두경(laryngoscope) 등의 기도 관리(airway management)를 위한 제품들이 이렇게 탄생했다. 기관내삽관은 기도에 넣는 관이다. 이 관을 통해 공기와 함께 흡입마취 약제가 환자에게로 흡입되는 것이다. 기도에 이러한 기관내삽관을 넣는 행위를 삽관(intubation)이라 하고, 입이나 코를 통해 삽관을 가능하게 성문을 들어내어 볼 수 있도록 하는 장치가 후두경이다. 사실 후두경을 사용하여 삽관하는 방식이 아닌 외과적으로 목의 앞쪽에서 직접 기도로 접근하는 방식인 기관절개술(tracheostomy)은 훨씬 오래 전부터 존재했다. 여기에 기관내 삽관처럼 관(튜브)을 넣어 보다 확실하게 접근하겠다는 여러 시도도 있었지만 감염 등의 인식이 부족하여 이와 관련하여 환자의 결과가 좋지 못해 일찍 시도되었음에도 불구하고 활용되는 데에는 한계가 있을 수밖에 없었다.

감염에 대한 인식과 함께 기관절개술이나 기관내삽관에서 쓰는 관(튜브)의 재질과 형태의 변화는 환자의 안전과 마취와 수술하는 의사의 요구에 의해 필연적으로 발전하기 시작했다. 처음에는 딱딱한 재질로 시작해서 점점 조직에 손상을 주지 않는 부드러운 재질로 바뀌었다. 단순하게 기도에 외부로부터 공기를 주입할 수 있는 관을 꽂아 넣었다고 모든 문제가 해결되는 것은 아니었다. 관 주변으로 공기가 새어 나오는 문제와 환자의 분비물이 기도와 관 사이의 틈으로 넘어가서 생기는 문제는 처음에는 거즈를 관 주변에 넣어 주다가 관을 삽입한 뒤에 관의 바깥쪽에 달린 커프(cuff)를 부풀리는 방법으로 해결했다.

후두경도 이와 마찬가지로 처음에는 햇빛과 거울을 이용하여 성문을 관찰하다가 이제는 광원이 달린 현재의 후두경의 모습으로 탈바꿈했고 이제는 광원과 함께 카메라가 달린 비디오 후두경(videolaryngoscope)으로 발전했다. 그래서 보다 쉽게 기관내삽관을 시행하여 흡입마취 약제를 확실하게 전달하고 수술 시야의 방해를 최소화하며 여러 분비물이 기도로 넘어가는 것도 방지할 수 있게 되었다.

흡입마취 약제의 약물 송달 시스템의 발전과 더불어 환자에게 흡입되는 흡입마취 약제의 농도 조절 방식도 발전하게 되었다. 기존에는 얼마나 많이 스펀지나 헝겊을 적시느냐에 따라 흡입마취 약제의 농도가

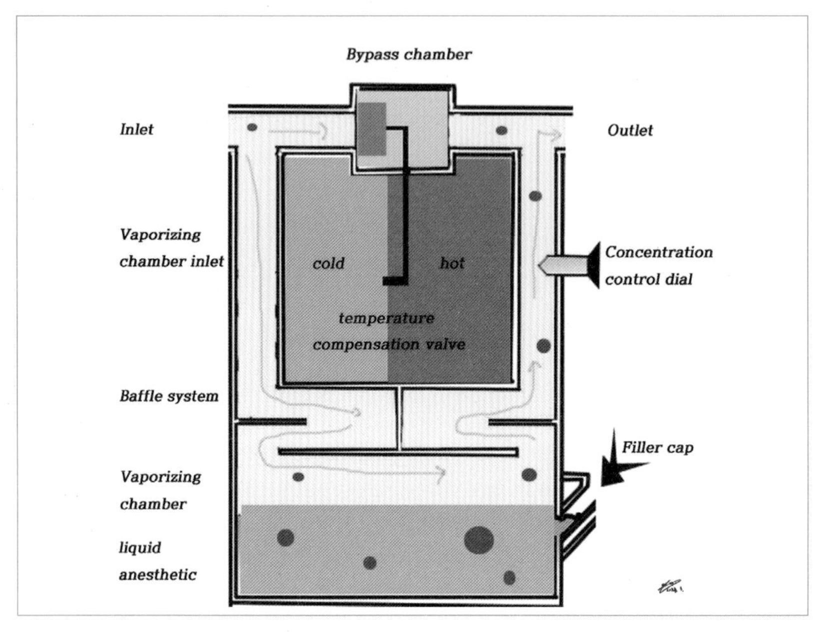

[그림 26] 기화기(vaporizer)

Filter cap을 열고 액체 상태의 흡입마취 약제가 기화기(vaporizer)에 채워지게 된다. 마취가 시작되면 기화기 내에서 흡입 마취약제는 기화되어 기체 상태가 되며 inlet을 통해 들어온 공기에 실려 Outlet을 통해 환자에게 공급되게 된다. 흡입마취 약제의 농도는 기화되어 환자에게 공급되는 정도에 따라 달라지게 되며 이는 Concentration control dial을 통해 조절된다. 간단하게 기화기의 원리를 설명하였지만 흡입마취 약제의 정확한 농도 조절은 여러 물리와 화학 법칙들을 기초로 하여 다양한 기술들이 집약되어 이루어질 수 있다.

결정되었다*. 사실 같은 용량의 흡입마취 약제를 스펀지나 헝겊에 떨어뜨려도 스펀지와 헝겊의 종류 그리고 건조의 정도에 따라 흡입마취 약제를

* 앞서 설명한 바와 같이 환자의 호흡에 따라 흡입마취 약제의 농도가 달라지는 것이 맞지만 환자가 마취에 빠져들면 호흡이 감소하며 흡입마취 약제의 흡입 정도가 달라지므로 호흡에 관한 언급은 잠시 논외로 함

머금고 있는 정도가 달라졌다. 게다가 빨래가 바람이 많고 습기가 적은 태양 아래에서 잘 마르는 것처럼 주변 공기 그리고 환경에 따라 흡입마취 약제의 농도를 결정하는 변수들이 너무 많았다. 기관내삽관 그리고 후두경 등 기도 관리 관련 기술과 장비의 발달은 환자의 호흡을 주변 환경에 구애받지 않으면서 정확하게 조절할 수 있게 만들었고 이는 흡입마취 약제의 농도를 보다 더 정확하게 제어할 수 있게 되었다. 이는 기관내삽관을 통해 대기 중 모든 공기를 마시는 것이 아니라 관(튜브)를 통해 들어오는 공기만을 흡입할 수 있게 하였다는 것을 의미한다.

액체 상태의 흡입마취 약제를 밀폐된 용기에 부어 두고 공기를 흘려보내면 그 공기는 기화된 흡입마취 약제를 포함하게 된다. 액체 상태의 흡입마취 약제가 기화되는 이 용기에 노출되는 공기의 양을 달리하면 공기의 양에 따라 기화된 흡입마취 약제를 함유하는 정도가 달라지게 되고 이를 통해 흡입마취 약제를 조절할 수 있게 된다. 이것이 현재 사용하고 있는 흡입마취 약제의 '기화기(vaporizer)'이며 기관내삽관을 통한 호흡의 조절과 함께 보다 정밀하게 흡입마취 약제의 농도를 제어하고 이를 통해 환자의 반응을 조절할 수 있게 된 것이다. 사실 간단하게 설명했지만 흡입마취 약제의 농도 조절에는 한 번쯤은 들어보았던 물리 법칙과 화학 법칙들을 기초로 하여 여러 다양한 기술들이 집약되어 있다. 여기에 다양한 환자 감시 장치들 속에서 마취통증의학과 의사는 환자가 잠들어 있는 동안 안전하게 수술에서 회복될 수 있도록, 그리고 수술할 수 있는 최고의 상태를 유지할 수 있도록 최선을 다하고 있다.

흡입마취 약제의 발달과 부작용

웃음가스(laughing gas)의 발견 이후 에테르(ether), 클로로포름(chloroform), 시클로프로판(cyclopropane), 메톡시플루란(methoxyflurane) 등의 흡입마취 약제가 개발되었다. 사실 아산화질소(nitrous oxide) 외에는 모두 액체 상태로 존재하지만 기화되어 기체 형태로 흡입하여 나타나기 때문에 흡입마취 약제라고 불린다. 현재 임상에서 에테르와 시클로프로판(cyclopropane)은 폭발 위험이 있고, 클로로포름은 간과 심장 독성이 있으며, 메톡시플루란(methoxyflurane)은 신장 독성이 있어 더 이상 사용하지 않는다. 현재 임상에서 사용되는 흡입마취 약제는 할로탄(halothane), 엔플루란(enflurane), 이소플루란(isoflurane), 세보플루란(sevoflurane), 그리고 데스플루란(desflurane)이다. 할로탄(halothane)이 처음 출시되었을 때 기존 흡입마취 약제가 가지고 있는 폭발 위험이나 장기 독성 등이 적어 널리 사용하기 시작했다. 게다가 냄새가 자극적이지 않고 향기로워 주사에 대한 공포로 정맥 주사를 위한 혈관 확보가 되어 있지 않은 소아에게 흡입마취 약제로만 마취를 유도할 때 선호되었다. 그렇지만 할로탄도 치명적인 간 독성과 부정맥 유발 등의 이유로 지금은 극히 제한적으로 사용하거나 아예 찾아보기가 어려워졌다. 흡입마취 약제로 인한 간 기능 저하를 살펴보면 흡입마취 약제의 직접적인 작용에 따른 간 독성도 있겠지만 그것보다는 사실 흡입마취 약제를 사용하게 됨으로써 간으로 가는 혈류가 감소되는 것이 흡입마취 약제 사용에 따른 간 독성의 핵심 이유이다. 전공의 시절에 가장 많이 사용했던 흡입마취 약제는 엔플루란이었다. 엔플루란 병을 열면 특유의 역한 냄새가 코끝을 빠르게 스쳐 지나갔다. 좀 더 좋은 흡입마취 약제라고 알려진 이소플루란도 가끔 사용했지만 이소플루란 냄새 역시 맡자마자 몸을 반사적으로 뒤로 물러나게 만드는 것은 마찬가지였다. 이소플루란을 엔플루란 대신 환자에게 사용했을 때 보험 적용을 받기 위해서는 몇 가지 조건이 충족되어야 했다. 이소플루란의 보험 적용 대상은 간이나 신장 기능이 저하된 환자 그리고 장시간 수술을 받는 환자 등으로 제한되었다. 이는 가격적인 문제도 있겠지만 엔플루란 역시 할로탄에 비해 심하지는 않지만 간 독성에서 자유롭지 않았다는 것이다.

당시에는 지금처럼 마취 동의서와 수술 동의서를 따로 작성하지 않고 함께 작성했지만 "마취 후 간과 신장 등이 손상될 수 있습니다"라는 문구가 항상 적혀 있었다. 그 시절에는 이렇듯 마취를 받으면 간이나 신장이 나빠질 수 있다는 것이 당연시되었고 간이나 신장 기능이 많이 나쁘다면 수술이 필요하더라도 마취의 위험성으로 수술이 연기되기도 했다. 이제 엔플루란도 보기 힘들어졌고 이소플루란도 동물 실험을 위해 사용할 뿐 사람에게는 사용하지 않은지 오래되었다. 지금 가장 많이 사용하고 있는 흡입마취 약제는 세보플루란과 데스플루란이다. 세보플루란은 냄새가 역하지 않아 할로탄처럼 소아에게 적용하기 좋은 흡입마취 약제이다. 세보플루란 또는 데스플루란은 모두 간 독성이 미미하고 마취 유도나 마취에서 잘 깨어나는 특징을 가지고 있다.

전공의 시절에 마취와 관련된 간 손상에 대한 에피소드가 있다. 일반적으로 마이너 서저리(minor surgery)라고 말하면 듣는 입장에서는 기분이 나쁠 수 있지만 병원에서는 공공연하게 사용하는 단어이다. 보통 수술하는 과 중에서 생명에는 크게 지장이 없는 수술을 많이 하는 과에 대해 그런 용어가 통용되었다. 이러한 마이너 서저리 과의 특징은 응급 수술이 거의 없어 외래에서 교수가 정한 날짜에 정규 수술이 연기되지 않고 진행되게 하는 것이 1년 차 전공의의 지상 최대 과제였다. 혹시 환자에게 기저질환(underlying disease)이라도 있으면 관련 과에 미리 마취와 수술에는 크게 지장이 없는 상태임을 확인받아야 하고 수술 전날 또는 당일에 담당 마취통증의 학과 교수가 환자의 안전을 위해 추가 검사 등을 요청하여 수술이 지연되는 일은 무슨 일이 있더라도 발생해서는 안 됐다. 친하게 지내는 마이너 서저리 과 후배가 수술이 정해진 환자의 검사 결과를 확인한 뒤에 전화를 한다.

"형! 언제 어떤 수술을 할 환자인데 AST*가 50이야. 어떻게 해?" 수화기 넘어 초조함이 전달된다.

"아직 한참 남았는데 그때 환자 상태 보고 수술 진행 여부 결정하자." 라고 여유 있게 답한다.

---

* 간 손상을 나타내는 지표 중의 하나

"형! 어떻게 해?" 수화기 넘어 저편에서 초조함에 발을 동동 굴리며 묻는다.

"50이면 뭐 약간 높은 정도인데, 다른 간 문제가 없으면 전신마취 진행하는데 전혀 문제없어."라고 답해 준다.

워낙 흡입마취 약제가 간 손상에 영향을 미칠 수 있기는 하지만 사실 일부 마취통증의학과 교수는 이를 문제 삼아 외과 의사(surgeon)들을 괴롭히기도 했다. 수술 당일에 그 환자의 차트를 열어 보면 이렇게 쓰여 있다. "AST 50: 마취통증의학과 김성협 확인 후 OK" 혹시 모를 수술이 지연되는 사태를 미연에 방지하고자 하는 마이너 서저리 전공의 1년 차의 소심한 대비책이다.

흡입마취 약제는 심장에도 영향을 미친다. 심장에 미치는 영향에서 가장 중요한 것 중의 하나가 부정맥의 발생이 증가된다는 것이다. 수술 전에는 부정맥이 없거나 잘 조절되었는데 마취 후에 갑작스럽게 다시 나타나기도 한다. 사실 흡입마취 약제를 사용했을 때 가장 치명적인 문제는 악성 고열증이다. 악성 고혈증의 원인은 세포 내 칼슘(calcium) 조절을 하는 리아노딘수용체(ryanodine receptor)의 이상이라 알려져 있고 여러 가지 유발인자에 대해서는 잘 알려져 있다. 그렇지만 어떤 환자가 걸릴 것인지에 대해서는 사전에 관련 검사를 하지 않는다면 알아낼 수 없다는 점이 문제이다. 더욱이 더 큰 문제는 이 검사라는 것이 단순한 피 검사가 아닌 환자의 근육을 채취하여 확인한다는 점이다. 마취를 받기 위해 근육을 채취하여 검사하는 것은 있을지 없을지도 모를 빈대를 잡기 위해 초가집을 홀라당 태우는 것과 다르지 않을 것이다. 성인에서 약 4만 명 중의 1명, 소아에서는 1만 5,000명 중의 1명꼴로 나타나며 주로 3세에서 30세 사이에서 나타난다고 알려져 있다. 말 그대로 마취 후 조절되지 않는 고열이 생기는 병이다. 고열에 의해 부정맥이 생기고 장기와 근육 이상이 급격하게 발생하게 된다. 발병 초기부터 열을 떨어뜨리는 조치와 함께 단트롤렌(dantrolene) 약물을 투여하는 것이 중요하다. 그런데 안타깝게도 이러한 처치는 종합병원이 아닌 경우 쉽지 않다. 종종 성형외과 의원에서 미용 성형 수술을 받는 도중에 환자가 갑작스럽게 악성 고열증에 빠져 대학병원으로 이송 중에 사망했다는 소식이 언론에서 보도되기도 한다. 이러한 일이 종합병원과 멀리 떨어져 있는 의원에서 벌어지면 난감할 수밖에 없고 안타까울 수밖에 없다. 인력과 시설이 제한되어 있어 빠른 진단과 치료가 쉽지 않을 것이다. 사실 시술이나 수술을 잘하는 병원을 찾아 시술이나 수술을 받는 경우 정작 시술이나 수술을 받을 때 발생할 수 있는 혹시 모를 안전사고에 대해 그 병원이 잘 준비되어 있는지에 대해서는 아무리 검색을 하더라도 알아낼 수 없다. 겉모양은 화려하고 멋지지만 정작 생명과 직결되는 시설과 장비가 구비되었는지를 알 수 없다면 최소한 그러한 문제에 직면했을 때 즉시 치료해 줄 마취통증의학과 의사가 상주하고 있는지는 꼭 확인해야 한다.

또 통계적으로 증명된 것은 아니지만 황당한 흡입마취 약제의 부작용이 있다. 사실은 여러 병원에서 근무하는 의료진들을 통해 검증되었다고 주장하는 이도 있다. 이는 흡입마취 약제에 많이 노출되는 수술실에서 근무하는 마취통증의학과 의사 또는 간호사가 결혼하여 아이를 낳으면 꼭 특정한 성별의 아이를 많이 낳는다는 것이다. 그래서 특정한 성별의 아이를 가지고 싶다면 미리 흡입마취 약제를 많이 마셔 두라는 이야기를 수술실에서 근무하는 사람들끼리 농담을 섞어 나누게 된다. 이러한 현상 역시 흡입마취 약제의 부작용 중의 하나가 아닐까?

14
전신마취기

기화기를 통해 흘러나온 흡입마취 약제를 공기와 함께 기관내삽관(endotracheal tube)을 통해 흘려보내면 흡입마취 약제는 환자의 폐를 통해 흡수되어 심장의 힘찬 박동과 함께 온몸으로 퍼져나가고* 기대했던 효과를 나타내게 된다.

이러한 간단한 설명과는 달리 흡입마취 약제가 인체에 흡수되는 과정은 사실 간단한 과정이 아니다. 전공의 시절에 은사님께서 다음과 같이 언급하신 적이 있다.

"흡입마취 약제가 폐를 통해 흡수되어 온몸으로 퍼져나간다는 사실에서 한 번 생각해 보면 흡입마취 약제를 통해 마취 후 수술하는 과정에서 동맥을 건드려 피가 나면 그 피에 흡입마취 약제가 녹아 있는 상태이므로

* 기체 형태로 폐포로 들어온 흡입마취 약제는 폐정맥의 혈액으로 녹아들어가게 되고 이 혈액은 좌심방을 거쳐 좌심실로 건너가서 대동맥을 통해 전신으로 퍼져 나감

피에서 흡입마취 약제의 특유한 냄새가 나지 않을까? 마취 효과의 핵심은 의식 소실, 진정, 최면 등이라 할 수 있고, 이러한 효과는 뇌에서 일어나게 되는 현상이므로 그렇다면 뇌를 수술하는 신경외과 의사들은 수술할 때 흡입마취 약제를 맡을 수 있지 않을까?"

이는 맞는 말이기도 하고 틀린 말이기도 하다. 엄청나게 향이 강한 음식을 먹은 뒤에 위와 장을 통해 흡수되어 혈액을 통해 온몸으로 흘러들어 영양분으로 사용되더라도 인체에 그 음식의 향이 오롯이 전달되지는 않는다. 매운 음식을 먹은 뒤에 속이 쓰리고 항문이 따가우며 변에도 매운 향이 난다고 이야기하는 사람들도 있다. 하지만 이는 개인의 느낌일 뿐이며 객관적으로 증명된 사실이 아니다. 아직 흡입마취 약제, 아니 마취라는 현상이 벌어지는 기전은 완전히 밝혀지지 않은 미지의 영역이다.

다음과 같은 기전도 가능할 수 있지 않을까? 기화를 통해 공기와 함께 인체로 흡수된 흡입마취 약제가 혈액 순환을 거치면서 체온에 의해 데워지면 혈액이라는 액체에 녹아들어 있는 흡입마취 약제는 혈액에 덜 녹은 상태가 되므로 주변으로 퍼져나갈 것이다*. 그렇다면 같은 양의 흡입마취 약제라도 인체의 온도에 따라 마취 효과가 달라지므로 파충류와 같은 변온동물의 마취 기전을 관찰하면 온도에 따라 마취 효과가 어떻게 변화하는지를 알 수 있지 않을까? 여러 가지 재미있는 상상을 해 본다.

또 흡입마취 약제가 인체에서 배출되는 것은 어떤 과정을 거쳐 나가는 것일까? 이것 역시 호흡을 통해 이루어지게 된다. 온몸, 특히 뇌에서 그

* 같은 원리로 탄산음료에 녹아 있는 이산화탄소는 얼음으로 채워진 낮은 온도에서는 많이 녹아 있지만 실온에 나오면 온도가 상승하여 녹아 있는 이산화탄소가 기포를 형성하며 대기 중으로 날아가 버리게 되는 것을 관찰할 수 있음

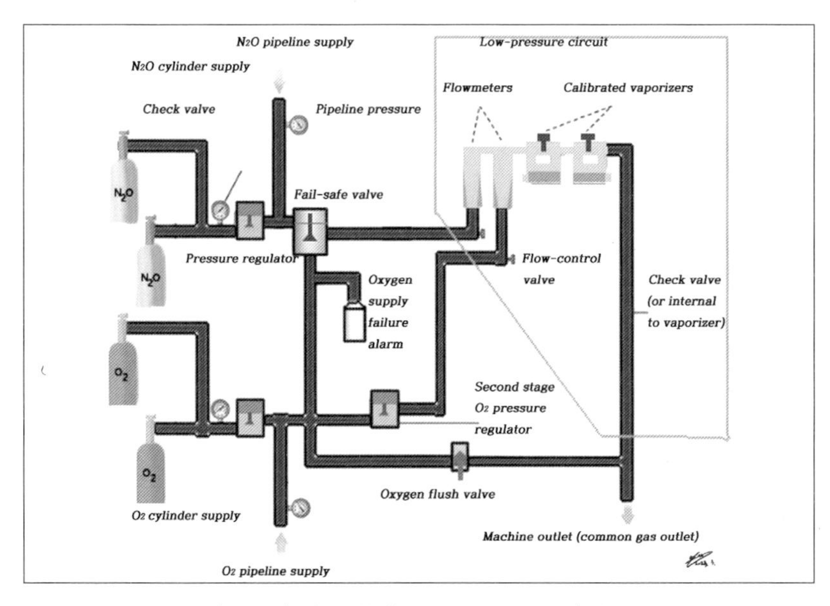

[그림 27] 전신마취기(anesthesia machine) 개요

전신마취기의 작동 원리를 이해하기 위해서는 기화기 내에서 기화된 흡입마취 약제를 운반하는 가스가 어떻게 환자의 폐까지 이동하고 다시 환자의 폐로부터 배출되는지를 이해하는 것이 중요하다. 특히, 수술실이 여러 개 있어 고압의 가스가 배관을 통해 공급되는 대형 병원에서는 이 고압의 가스를 어떻게 환자에게 안전한 범위의 압력까지 낮춰 공급하느냐가 중요하며 그림에서 빨간색 점선으로 표시한 부분(Low-Pressure Circuit)이 실제 이 과정을 거쳐 환자에게 공급되는 가스를 보여주고 있다.

효과를 나타낸 흡입마취 약제는 이제 뇌를 포함한 온몸에 녹아 있다가 혈액을 통해 대정맥, 우심방, 우심실, 폐동맥 순으로 이동하여 폐를 통해 기체 형태로 인체 밖으로 빠져나가게 된다. 다시 정리하면 특수 제작된 용기에 담긴 산소를 포함하여 공기가 기화된 흡입마취 약제가 있는 기화기를 통과하면서 흡입마취 약제를 싣고 환자가 숨을 쉴 때 함께 몸속으로 흡수되고 혈액을 통해 온몸에 퍼져나가며 효과를 내고 다시 호흡을 통해 배출되는 것이다. 이러한 과정이 전신마취기(anesthesia machine)에 의해 이루어지게 된다.

간단하게 전신마취기를 나누어 보면 환자를 중심으로 호흡을 통해 흡입마취 약제가 몸속으로 들어가게 하는 부분과, 몸속에서 밖으로 배출되게 하는 장치로 나눌 수 있다. 호흡을 통해 흡입마취 약제가 몸속으로 들어갔다 나오는 것은 결국 중환자실(intensive care unit)에서 흔히 볼 수 있는 호흡 보조 장치인 인공호흡기(ventilator)와 같은 원리라고 할 수 있다. 여기에 몸속으로 들어가는 부분에 흡입마취 약제의 기화가 일어나는 기화기가 있는 것이 다를 뿐이다. 환자의 온몸을 돌고 나온 공기에는 이산화탄소가 많이 함유되어 있고 이 이산화탄소를 제거하고 환자에게 호흡하도록 한다면 호흡에 따른 열과 수분의 손실*을 줄이면서 흡입마취 약제의 소모까지 줄이게 된다. 이러한 장치가 전신마취기에 달려 있는데 이를 '이산화탄소 흡수 장치(carbon dioxide absorber)'라고 한다. 이산화탄소 흡수 장치는 화학 반응을 통해 이산화탄소를 제거하게 된다.

고등학교 때 톰 클랜시(Tom Clancy, Thomas Leo Clancy Junior, 미국, 1947년~2013년)의 소설을 참 좋아했다. 제임스 본드(James Bond)처럼 월등하게 좋은 신체 능력은 없을지라도 책상에서 여러 가지 정보를 다각적으로 분석하여 상대를 정확하게 파악하고 인간적인 면으로 다가서는 잭 라이언(Jack Ryan)이 너무 마음에 들어 그처럼 되고 싶다는 꿈을 꾸기도 했다. 톰 클랜시의 소설은 여러 편이 영화화되었는데 그중 숀 코네리(Thomas Sean Connery, 스코틀랜드, 1930년~2020년)가 타이푼급 핵 잠수함(typhoon class

* 같은 원리로 겨울에 입김이 생기는 이유는 따뜻한 체온과 함께 몸속의 수분이 증발하는 것임

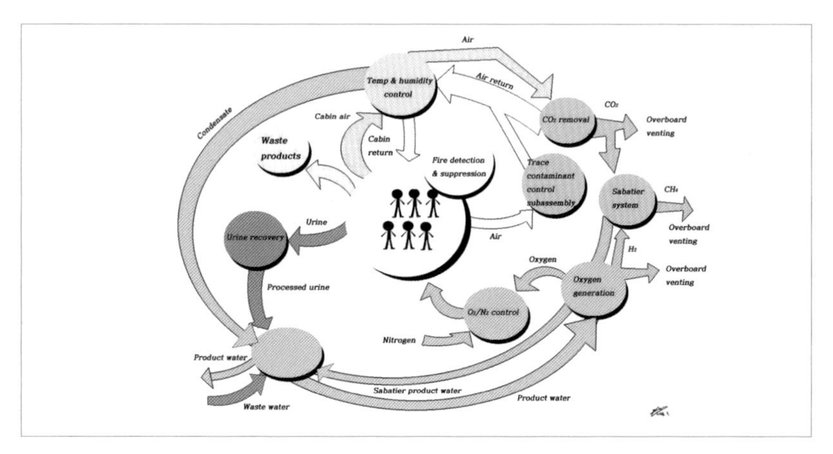

[그림 28] 국제 우주 정거장 환경 제어 및 생명 지원 시스템
International Space Station Environmental Control and Life Support System(ECLSS)

잠수함이든 우주선이든 산소를 공급받고 호흡하는 과정에서 생긴 이산화탄소를 처리하는 방법은 전신마취기에서 사용하는 방법과 그 원리가 크게 다르지 않다. 실제 심해의 고압 환경과 우주 저편의 저압 환경에서 인류의 터전을 넓혀가는 도전에 마취 관련 지식이 많이 활용되고 있다. 일례로 화성을 식민지로 건설하고자 하는 노력의 일환으로 화성까지 가는 긴 여정에 우주인을 마취시켜 가는 방법도 연구되고 있다.

nuclear submariner)과 함께 미국으로 망명하는 <붉은 10월(The Hunt for RED OCTOBER)>은 어린 소년의 심장을 요동치게 했다. 백발의 숀 코네리의 멋진 연기와 함께 잠수함의 매력에 푹 빠져들었다.

잠수함은 적진의 깊은 심해에서 오랜 시간 임무를 수행하게 된다. 그 잠수해 있는 동안 잠수함의 승조원들은 신선한 공기를 마시지 못하고 오직 밀폐된 잠수함에서 숨을 쉬게 된다. 숨을 쉬며 산소는 인체 구석구석 활용되고 대사산물로 이산화탄소를 내뱉게 된다. 결국 잠수함 안의 산소 농도는 계속 줄어들고 이산화탄소 농도는 계속 늘어나게 된다. 이를 해결하기 위해 산소를 지속적으로 공급하는 산소 발생기(oxygen generator)와 이산화탄소를 제거하기 위해 이산화 탄소 제거 장치(carbon dioxide scrubber)라는 장치를 사용한다. 어딘지 익숙하게 들리지 않는가? 특수 제작된 용기에 저장되어 있는 산소와 함께 공기가 기화기를 통과하며 흡입마취 약제가 녹아들어 환자에게 흡입되어 마취 효과를 나타내고, 환자가 숨을 내쉴 때 발생하는 이산화탄소는 이산화탄소 흡수 장치에 제거되어 다시 환자가 호흡하게 되는 전신마취기과 같은 원리인 것이다.

잠수함은 기화기가 없는 일종의 전신마취기이라고 할 수 있다. 특수 제작된 용기에 공기를 담기에는 그 무게가 문제가 되므로 따로 신선한 공기를 발생할 수 있는 장치로 대체한 것이고 이산화탄소 제거 장치는 바로 전신마취기의 이산화탄소 흡수 장치인 것이다. 인류는 깊은 바다를 탐사하고 하늘 위쪽을 바라보며 먼 우주까지 그곳에 무엇이 있는지를 알기를 원한다. 드디어 1969년 7월 20일에 닐 암스트롱(Neil Alden Armstrong, 미국, 1930 ~ 2012년)이 달에 인류 역사상 첫 족적을 남긴다. "인간에게는 작은 발걸음이지만 인류에게는 큰 도약이다(That's one small step for a man, one giant leap for mankind)." 이제 그 인류는 화성을 정복하기 위해 준비하고 있다. 유인 우주선을 보내기 위해서는 공기가 없는 우주 공간에서 숨을 쉬기 위해 반드시 공기를 우주선 내에서 만들어야 된다. 그렇다. 깊은 심해의 잠수함처럼 우주선 역시 또 하나의 전신마취기인 것이다. 차이가 있다면 잠수함이 탐사하는 심해의 환경이 고압 환경인 반면에 우주선의 외부 환경은 무중력 상태인 저압 환경이라는 것이다. 이와 같이 심해와 우주에서 인류는 전신마취기 장치를 사용해 무한의 세계로 지평을 넓혀가고 있는 것이다.

15
마취의 네 가지 요소

마취의 시연은 윌리엄 T. G. 모턴을 통해 처음으로 이루어졌으며, 당시에 사람들은 마취를 단순하게 약을 통해 사람을 재워 시술이나 수술하는 동안 고통의 순간을 망각하게 하는 것이라고 생각했다. 환자뿐만 아니라 시술이나 수술하는 의사에게 있어 마취는 축복이었다. 하지만 오래지 않아 단순한 순간의 망각보다 환자의 안전과 보다 편안한 시술이나 수술을 위해 좀 더 필요한 것이 있음을 깨닫게 되었다.

마취의 핵심은 우선 환자가 수술이라는 정신적인 스트레스 상황에서 공포, 불안 등의 기억 없이 편안하게 진정되는 것이다. 이것이 마취의 제1요소인 진정과 최면이다. 시술이나 수술하는 의사 입장에서도 환자가 편안하게 진정 상태를 유지하면 환자에게 집중할 수 있게 되어 좀 더 좋은 결과를 도출할 수 있게 된다. 병원에 들어서자마자 크게 울음을 터트려버린 아이를 달래며 진찰하는 것은 여간 힘든 일이 아닌 것이다. 마찬가지로 환자가 앞으로 경험할 시술이나 수술의 상황을 생각하며 두 눈을 꼭 감고 두 손을 꼭 쥔 상태로 있는 것은 자연스러운 현상이다. 하지만 환자의 교감신경이 활성화되어 모든 근육이 긴장하고 혈압과 심장 박동 그리고 호흡까지 증가하는 상황이 벌어진다면 시술이나 수술하는 의사도 긴장할 수밖에 없는 것이다.

마취의 제2 요소와 제3 요소는 무통과 반사 조절이다. 시술이나 수술하는 동안 망각과 더불어 외부 자극에 대해 환자는 아무 반응이 없는 상태가 되어야 한다. 외부에서 어떤 통증이란 자극이 들어오면 환자는 자연스럽게 그 자극을 회피하기 위해 움직이게 된다. 자극에 따라 몸을 움츠리기도 하고 때로는 강한 자극이 들어오면 그 강한 자극을 뿌리치기 위해 움직이기도 한다. 그러한 통증 자극은 앞서 말한 불안 증상처럼 심장을 요동치게 하고 숨을 가쁘게 몰아쉬게 만든다. 이 모든 것이 통증에 따른 반사 작용이다. 시술이나 수술 동안 마취를 통한 망각으로 환자가 통증이 있었다는 사실과 그로 인한 반사 작용이 있었다는 사실을 모른다고 할지라도 이는 시술이나 수술을 곤란하게 만들고 좋지 않은 결과를 가져오게 된다. 시술이나 수술하는 의사는 환자의 병소에만 집중을 하지만 마취를 수행하는 마취통증의학과 의사 입장에서는 환자의 상태뿐만 아니라 시술이나 수술하는 의사 입장까지 생각해야 한다. 당연히 시술이나 수술하는 입장에서는 최적의 상태에서 시술이나 수술을 진행하면 가장 좋은 성과를 거둘 수 있다.

더불어 병소를 확인하고 처치하기 위해서는 환자가 시술이나 수술하는 동안에 절대 움직임이 없어야 하고 고정되어 있어야 한다. 움직이고 있는 과녁을 맞히는 것과 움직이지 않는 과녁을 맞히는 것 중에서 어느 것이 더

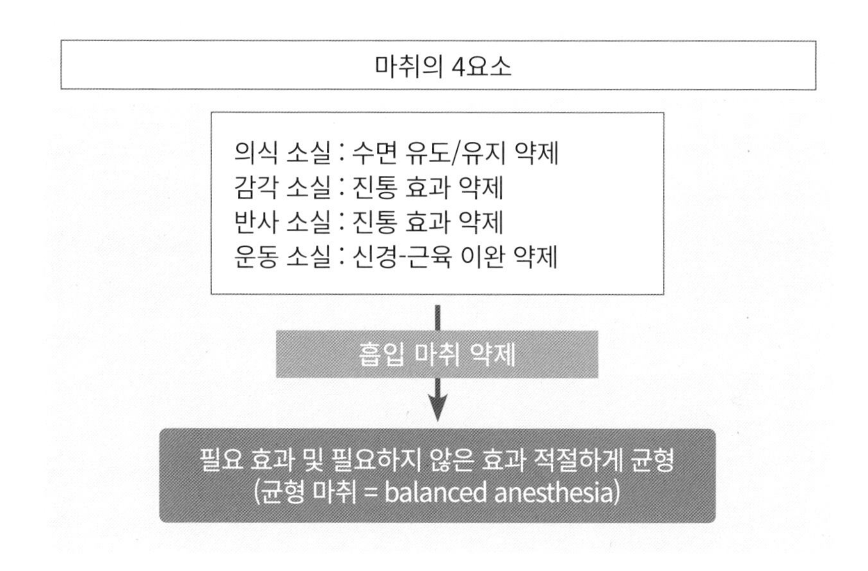

쉬울지를 생각해 보면 답은 명백하다. 움직이지 않는 것은 최적의 시술 또는 수술 환경을 제공하기 위한 가장 기본적인 조건이며 이것이 마취의 제4 요소, 즉 운동 제한이다. 마취를 위해 이 네 가지 요소를 최상으로 유도 및 유지하는 것이 중요하다. 한 가지 약물이 비록 여러 효과를 나타낸다 하더라도 결국 가장 필요한 한두 가지 효과를 위해 개발되고 사용하게 된다. 그 밖의 효과는 부수적인 효과로 생각하고 때로는 긍정적인 모습으로 때로는 부정적인 모습으로 나타나게 된다.

흡입마취 약제는 '진정 및 최면, 무통, 반사 억제, 그리고 운동 제한'이라는 마취의 네 가지 요소에 효과를 모두 가지고 있다. 그렇지만 안타깝게도 하나의 요소에 집중하여 사용하게 되면 다른 요소에 대해서는 효과가 적다든지 반대로 너무 과하게 억압할 수 있어 다른 약물들의 도움을 받아야 한다. 예를 들어, 흡입마취 약제가 진정 및 최면 효과를 나타낼 정도로 환자에게 투여되더라도 환자는 통증에 대해 여전히 반응을 나타낼 가능성이 있고, 반대로 환자가 움직이지 않을 정도로 흡입마취 약제를 투여하면 너무 깊은 최면이나 진정으로 빠져버릴 수 있다. 그래서 흡입마취 약제를 사용하더라도 진정 및 최면을 위해 정맥마취 약제들의 도움을 받고, 진통 및 반사 억제를 위해서는 마약 제제의 도움을 받으며, 운동 제한을 위해서는 신경근차단제의 도움을 받게 된다.

사실 흡입마취 약제를 단독으로 사용해 마취를 유도 및 유지하는 것은 쉽지 않다. 흡입마취 약제의 역한 냄새 때문에 정맥마취 약제의 도움으로 수면이 먼저 유도되지 않으면 흡입마취 약제를 편안하게 들이마시는 것 자체가 쉽지 않다. 주사 자체에 두려움이 있는 환자나 소아에서 정맥마취 약제를 줄 경로가 없어 흡입마취 약제 단독으로 마취를 유도하는 경우도 있다. 하지만 이것도 어디까지나 냄새를 맡았을 때 역하지 않은 할로탄(halothane)이나 세보플루란(sevoflurane)으로 가능한 것이다. 그나마 할로탄은 간 독성 문제로 이제 거의 사용하지 않는다. 이와 같이 최상의 마취라는 목적을 위해 마취의 네 가지 요소를 충족하는 여러 마취 약제들을 적절하게 조합하여 이루어지는 마취를 '균형 마취(balanced anesthesia)'라고 한다. 그리고 최상의 마취라는 목적과 함께 한 가지 약물을 사용했을 때 생길 수 있는 약물의 부작용을 막기 위해서라도 활용되고 있다.

마취의 네 가지 요소라는 관점에서 볼 때 부위마취(regional anesthesia)는 특정 부위만을 국소마취 약제를 통해 마취해 통증과 반사 억제 그리고 운동 제한을 일으키는 것이다. 다시 말해 환자는 진정이나 최면이 유도되지 않아 시술이나 수술 과정 전체를 보거나 들을 수도 있다. 이러한

전신 마취 시 소실되는 것

소실	효과	문제
의식	최면 효과	
감각	진통 효과	
반사		혈압 유지 등 보조 필요
운동		호흡 보조 필요

경우 환자에 따라 "시술/수술 동안에 푹 잘 수 있게 해 주세요."라는 환자의 요청으로 또는 환자의 불안 해소 등을 목적으로 진정 또는 최면을 유도하기도 한다. 때로는 부위마취 후 전신마취를 유도하기도 하는데, 이미 부위마취를 통해 통증과 반사 억제 그리고 운동 제한이 이루어져 이를 위한 약제들을 적게 사용할 수 있고 그에 따른 이점을 얻을 수 있다.

마취 중 감시 장치

마취 중 환자의 상태를 확인하기 위해 여러 감시 장치들이 사용된다. 시술이나 수술을 위해 수술실에 들어가면 일명 '타임아웃(time-out)'이라 불리는 환자와 시술 또는 수술에 참여하는 모든 사람들이 환자의 개인 정보 등 환자 확인 및 시술이나 수술 부위 등의 여러 가지를 확인하는 과정*을 거친 뒤에 환자는 시술 또는 수술을 위한 침대에 눕게 된다. 환자가 침대에 눕는 즉시 여러 가지 감시 장치가 몸에 부착된다. 먼저, 숨을 잘 쉬고 있는지 확인하기 위해 말초 산소포화도를 측정하기 위한 집게 모양의 산소포화도측정기(pulse oximeter)가 손가락이나 발가락에 부착된다. 어느 정도 깊게 진정이나 최면 상태에 빠지는지를 확인하기 위해 뇌파를

* 환자 입장에서는 성가신 절차일 수 있지만 어느 병원을 방문하든지 환자 확인이 이루어지며, 이는 환자의 안전을 위해 꼭 거쳐야 하는 중요한 과정이므로 "내가 누구인데 딱 보면 몰라?"라는 식의 말은 절대 통용될 수 없음

마취 중 감시 장치

의식 감시 = 마취 심도 감시
감각 감시 = 혈압 및 심장 박동
반사 감시 = 혈압 및 심장 박동
운동 감시 = 신경-근육 감시

호흡 감시 = 산소 수치

이용한 마취 심도 감시 장치(anesthetic depth monitoring)가 이마에 부착된다. 그리고 비침습적 혈압 측정을 위해 혈압계를 팔이나 발에 감게 되고 부정맥이나 심장 박동의 확인 등을 위해 심전도를 측정하게 된다. 그리고 마지막으로 손이나 발 또는 관자놀이에 근육 이완의 정도를 감시하는 신경근 감시 장치가 부착된다.

마취의 네 가지 요소를 고려해 보면 진정이나 최면 상태는 마취 심도 감시 장치를 통해 감시되고, 진통 및 반사 억제는 혈압계나 심전도를 통해 확인하게 되며, 운동 억제는 신경근 감시 장치를 통해 확인하게 되는 것이다. 사실 마취 중 통증의 정도를 알기 위한 여러 방법이 연구*되고 시판되고 있으나 아직까지 확실하게 이를 보여 주는 감시 장치는 개발되지 않았다. 이것이 기본적인 감시 장치이고 모든 마취에서의 확인 과정은 권장 사항이 아니라 꼭 시행할 것을 요구하고 있다.

* 통증이 있으면 교감신경이 활성화될 것이고, 이에 따라 혈압이나 심전도 등 어떤 변화가 있을 수 있다는 것이 전제됨

환자가 전신마취 동안 잠이 들고 신경근차단제를 사용해 근육이 마비되면 환자의 호흡은 없어지게 된다. 그렇다면 환자는 숨을 어떻게 쉴까? 환자의 호흡은 전적으로 마취통증의학과 의사의 손에 달려 있다. 환자의 폐 역할은 마취통증의학과 의사가 직접 하거나 인공호흡기(ventilator)를 통해 숨을 쉬게 한다. 그래서 이러한 호흡을 통해 말초까지 산소가 잘 전달되는지를 확인하기 위해 산소포화도측정기(pulse oximeter)의 감시는 필수적이다. 이를테면 마취통증의학과 의사는 마취를 통해 살아 있는 사람을 잠시 동안이지만 레테(Lethe)의 강에 도달하게 했다 그 언저리에서 잠시 머물게 한 뒤에 다시 되돌아오게 하는 사람이라고 할 수 있다. 다시 말해 삶과 죽음의 경계에서 일하는 사람이라고 할 수 있는 것이다.

이와 같이 여러 감시 장치를 통해 환자가 안전하게 마취를 받고 깨어날 수 있게 한다. 이러한 감시 장치 외에도 환자의 기저 질환(underlying disease)과 진행하는 수술에 따라 여러 가지 복잡한 감시 장치들이 추가되기도 한다. 가령 심장수술을 받는 환자에서는 환자의 혈역학적 감시를 위해 동맥에 카테터(catheter)를 삽입하여 혈압을 실시간으로 측정하거나 심장혈관내과 의사가 아니더라도 직접 심장 초음파를 사용하여 심장의 상태를 흉부외과 의사와 상의하기도 한다. 상황이 이러하므로 마취통증의학과 의사는 마취하는 동안에 여러 가지 환자 감시 장치로 중무장을 하고 환자 곁에서 환자의 안전을 지키고 있는 것이다.

누군가는 이와 같이 여러 감시 장치로 마취하는 과정을 비행사가 조종석에서 여러 감시 장치를 통해 비행기를 이륙하고 착륙하는 과정과 흡사하다고 표현하기도 한다. 비행사가 이륙과 착륙 시에 집중하는 것처럼 마취통증의학과 의사는 마취의 전 과정에서 마취의 시작과 끝, 다시 말해 환자에게 마취를 유도하고 마취에서 환자를 각성시키는 과정이 가장 신경이 쓰이는 몰입해야 하는 시간이다. 짧다고 여길 수도 있는 시간이지만 환자를 레테의 강에 도달하도록 유도했다가 다시 되돌아오게 하는 시간이므로 더욱 긴장되는 순간이다. 오르페우스(Orpheus)가 죽음의 신인 하데스(Hades)의 승낙을 받아 아내인 에우리디케(Eurydice)가 망각의 강인 레테에서 되돌아올 수 있었지만 뒤를 돌아보지 말라는 경고를 지키지 못해 결국 데려오지 못한 것을 생각하면 마취에서 깨어난다는 것은 어떻게 보면 기적과 같은 일이다. 전공의 때와 마찬가지로 지금도 '이 환자가 마취에서 깨어나지 않으면 어떡하지?'라는 생각이 스치며 어느 순간에는 한 번씩 공포가 엄습해 온다. 마취의 시작과 끝 시간에 시술이나 수술을 한 의사는 본인의 할 일을 다 했음에도 마취통증의학과 의사와 함께 환자의 곁을 지킨다. 환자에게 있어 가장 critical time인 때에 마취통증의학과 의사가 도움이 필요할 때 의사로서 힘을 보태기 위함이다. 일부 생각 없는 의사는 본인의 할 일을 마쳤다고 여기며 다음은 마취통증의학과 일이라고 수술실을 떠나버리는데 이를 '환자나 보호자가 알게 되면 어떤 생각이 들까?'라는 염려와 함께 의사로서 부끄러운 행동임을 지적하고 싶다.

여하튼 마취하는 동안 마취통증의학과 의사는 이러한 감시 장치를 통해 환자가 시술이나 수술에 따른 스트레스 상황에서도 최상의 컨디션을 유지할 수 있도록 한다. 시술이나 수술하는 동안 어떤 이상이 생기면 그 이상을 교정하고 만일 견디지 못할 상황에 처한다면 시술이나 수술하는 의사에게 알려 잠시 시술이나 수술을 멈추고 환자가 그 이상에서 헤어 나올 수 있도록 도와주는 것이다. 마취통증의학과 의사는 마취하는 동안 환자의 상태를 최상으로 만들어 주는 의사이기도 하지만 환자의 상태를 의사에게 알려주는 보호자 또는 환자 자신이 되는 것이다. 영화나 드라마에서는 보통 주인공인 외과 의사의 모습을 돋보이도록 보이기 위해 마취를 담당하는 의사에게 명령이나 지시를 하는 모습을 종종 보게 된다. 어이가 없는 설정인 것이다. 외과 의사 자신의 수술 행위에 따라 불가피하게 환자에게 해가 미치는 상황이 생기는 경우에는 현재 환자의 상태를 계속 지켜보고 있는 마취통증의학과 의사에게 상황을 설명하고 서로 환자에게 최선이 될 수 있는 해결 방법을 찾아 나가는 방향으로 이야기를 만들어야 하는 것이다. 이때 마취통증의학과 의사의 의견은 무시한 채 독단적으로 행동하는 것은 결코 환자에게 도움이 되지 않는다는 사실을 현명한 외과 의사는 이해하고 있을 것이다. 스포트라이트는 외과 의사가 받더라도 그 외과 의사의 수술을 위해 마취통증의학과 의사가 묵묵히 환자의 곁을 지키고 있음을 영화나 드라마에서도 표현해 주기를 기대해 본다.

전공의 시절에 선배 형이 아래 연차에 들어와 있었다. 그 형이 다음과 같은 이야기를 자주 했다. "다른 과에 비해 상대적으로 조금 편하게 지낼 수 있을 것 같아 지원했는데 완전히 잘못 생각한 것 같다. 여기서는 수술에 대해 알아야 되고 내과 질환에 대해서도 알아야 되며, 마취에 대해서도 알아야 되고 공부할 분량이 엄청나게 많아 힘들다." 그렇다. 마취통증의학과 의사는 시술이나 수술에 대해 잘 알고 있는 수술실의 내과 의사이다. 환자의 시술이나 수술은 시행하는 과에서 잘 알 것이고 환자의 만성 질환은 외래에서 환자를 지켜본 내과 의사가 가장 잘 알 것이다. 그리고 마취통증의학과 의사는 그 둘 사이에서 모든 것을 이해한 뒤에 환자를 마취하는 것이다. 혈압이나 당뇨 등이 조절되지 않아 시술이나 수술을 미루자고 말하면 "아니! 내과에서 괜찮다고 하는데 마취통증의학과에서 막는 이유가 뭔가요?"라고 곧바로 항의하는 사람이 있다. 이러한 사람은 본인의 지식이나 이해가 부족함을 드러내는 것이다. 내과는 마취하지 않은 상태의 환자로 판단하는 것이며 마취된 상태의 내과 질환은 마취통증의학과 의사가 판단하는 것이다. 일부 환자도 마찬가지로 내과에서 괜찮다고 하는데 마취를 진행하면 안 되는지를 물어보는 경우가 종종 있다.

여기서 평범한 진리를 되새겨 보고자 한다. "수술은 외과 의사에게, 혈압과 당뇨는 내과 의사에게, 그리고 마취 시 일어나는 모든 일은 마취통증의학과 의사에게"라고. 진실이 무엇인지 모를 정도로 무분별한 정보가 폭발하듯 쏟아지고 있는 세상이지만 마취에 관한 전문가는 마취통증의학과 의사이므로 환자의 안전을 위해 제발 마취통증의학과 의사의 의견에 귀를 기울였으면 좋겠다. 환자의 안전을 위하는 것이 종국에는 환자뿐만 아니라 시술 또는 수술하는 의사의 정신 건강까지 지켜줄 것임을 강조한다.

마취의 여러 두려움

환자 입장에서 마취를 받는다면 마취 중에 혹시 깨어나지 않을지 모른다는 두려움이 있을 수 있다. 마취를 앞둔 환자에게 듣는 가장 큰 걱정거리이다. 마취 중의 각성은 환자에게는 공포일 수밖에 없다. 옴짝달싹 못하고 있는 상태에서 자신의 몸이 찢겨 나가고 있는데 이에 대해 말조차 할 수 없는 상태인 경우를 상상하면 공포가 아닐 수 없다. 아프지는 않다고 하더라도 지옥이 따로 없을 것이다. 정말 이러한 일이 수술 상황에서 벌어질 수 있을까? 마취의 네 가지 요소에서 생각하면 이러한 일은 진정 및 최면이 이루어지지 않았다고 할 수 있다. 진정 및 최면이 일정 수준에 도달하지 않고 통증 및 반사 차단 그리고 운동 차단만이 이루어진 상태이다. 통증 및 반사 차단은 마약 제제를 통해 얻어지고, 운동 차단은 신경근차단제로 얻어지므로 진정 및 최면을 유도 또는 유지하는 흡입마취 약제 또는 정맥마취 약제가 제대로 주입되지 않은 상태라면 충분히 그러한 상황이 벌어질 수 있을 것이다.

그래서 인간이 인간을 심판할 수 있을지가 의문이지만 사형조차 가벼운 형벌이라고 생각되는 죄인에게 어떤 벌을 주는 것이 마땅할지를 생각해 보다가 정말 잔인한 상상을 한 적이 있다. 마취통증의학과 의사 입장에서 인간으로서 저지를 수 없는 극악무도한 죄를 저지른 죄인에게 마땅한 형벌이 무엇일지를 생각한 것이다. 마취의 네 가지 요소에서 생각해 보면 다른 요소들은 차단하지 않고 오로지 운동만을 차단해 움직이지 못하게 하고 고통의 소리조차 지르지 못하게 하는 상태를 만든 뒤에 '이에는 이, 눈에는 눈처럼' 자신이 저지른 일을 똑같이 당하게 하는 것은 벌하는 사람에게는 고통의 소리가 들리지 않으므로 죄책감을 줄일 수 있고, 죄인에게는 고통의 공포 속에서 '영원히 헤어 나오지 못하지 않을까?'라는 생각을 가지도록 하는 것이다. 이러한 상황은 실제 마취 중 각성의 공포를 잘 표현했다고 할 수 있을 것이다.

앞서 말한 진정이나 최면을 위해 사용되는 흡입마취 약제나 정맥마취 약제가 어떤 원인에 의해 마취 중에 주입되지 않는다면 이것은 당연히 마취 사고인 것이다. 흡입마취 약제를 운반하는 전신마취기(anesthesia machine)이나 정맥마취 약제를 주입하는 약물주입기(infusion pump)의 작동 불량으로 또는 흡입마취 약제나 정맥마취 약제가 환자에게 다 들어갔음에도 불구하고 제때 채워 놓지 않아 그러한 일이 생길 수도 있다. 이것은 모두 인재이다. 있어서도 안 되고 있으면 안 되는 상황이다. 이러한 모든 상황을 막기 위해 감시 장치가 있는 것이다. 마취 중 환자의 각성 정도를 실시간으로 확인하여 마취 중의 각성을 미연에 방지할 수 있다. 사실 수술의 종류에 따라 진정과 최면을 위한 흡입마취 약제 또는 정맥마취 약제가 의도적으로 적게 사용되어야 하는 경우가 있다. 심장 수술의 경우 약해진 심장 기능으로 흡입마취 약제나 정맥마취 약제가 다른 건강한 사람만큼 들어가면 심장이 버티지를 못해 마약 제제를 주로 사용하여 마취를 진행한다. 2007년에 공개된 영화 <Awake>에 이와 같은 내용이 나온다. 심장 이식을 받는 주인공이 마취 중에 각성이 생겨 자신의 흉골이 절개되는 고통을 고스란히 느끼는 장면이 나온다. 실제 이러한 상황이 벌어진 경우라 하더라도 완전하게 모든 장면을 기억하기는 쉽지 않을 수 있다. 마약 제제를 사용해 통증을 없앨 수 있고 마약 제제 역시 약하지만 진정과 최면을 유도할 수 있어 생생하게 기억하기는 어렵고 흐릿한 기억이 남아 있거나 잠재의식으로 남아 있을 수 있다.

좀 더 문제가 되는 것은 산모에게 시행되는 수술이다. 예를 들어 분만을 위해 제왕절개술을 시행하는 경우 마취통증의학과 의사 입장에서는 환자가 산모와 태아 두 명이 되므로 두 사람의 마취를 동시에 수행해야 한다. 태아가 엄마의 뱃속에 있을 때 태아에게 양분을 공급했던 자궁은 분만 후 수축하여 출혈을 멈출 수 있어야 한다. 흡입마취 약제는 제왕절개술 후 자궁의 수축을 방해한다. 이는 곧 산모의 출혈을 증가시킬 수 있다. 산모에게 투여된 정맥마취 약제와 마약 제제는 태반을 통해 산모에서 태아에게로 전달되어 태아에게 영향을 미칠 수 있다. 태아의 호흡 중추를 억제하여 분만한 뒤에 숨을 쉬지 않도록 만들 수 있다. 이는 흡입마취 약제도 마찬가지이다. 이로 인해 심장 수술을 위한 마취에서는 마약 제제를 주로 사용하는 마취가 이루어지지만 제왕절개술에서는 이것마저도 사용하기가 쉽지 않다.

의료 기술의 발달로 마취 심도 감시가 마취 감시 장치의 표준이 되면서 이의 관찰을 통해 환자의 각성을 미연에 방지하여 마취 중 각성과 관련된 문제는 거의 사라지고 있다. 여기서 또 다른 걱정이 생길 수도 있다. 마취 심도 감시 장치에 오류가 있어 실제로 충분히 자고 있지 않음에도 불구하고 마취통증의학과 의사는 모를 수 있지 않느냐는 걱정이다. 맞는 이야기이다. 그렇지만 마취통증의학과 의사는 모든 마취 약제에 대해 최소한의 효과를 나타낼 수 있는 농도에 대해 잘 알고 있고 이에 대한 지식으로 마취 중의 각성과 같은 사고에 대해 대처하고 있다. 예를 들어 마취 심도 감시 장치에서 충분히 진정되어 있음을 보이더라도 실제 들어가는 흡입마취 약제나 정맥마취 약제가 그렇게 많지 않으면 어떤 이상이 있을 수 있음을 미리 예상하고 조치한다는 것이다. 게다가 개인적으로 심장수술이나 산모의 마취를 수행할 때 혹시 모를 각성이 발생하더라도 그에 대한 부작용을 막기 위해 환자가 안심할 수 있도록 수술실 환경은 조용히 유지하고 수술에 참여하는 모든 의료진에게 더 주의를 당부한다. 더불어 환자에게는 귀마개와 함께 본인이 가장 좋아하는 편안한 음악을 마취 중에 들려주는 등의 조치를 통해 각성에 대한 문제를 해결하고 있다.

마취 후에 깨어나지 않을지도 모른다는 두려움은 환자보다 마취통증의학과 의사가 좀 더 강박에 근접할 정도로 가지고 있는 두려움이다. 어떤 원인이든지 마취 중에 환자 감시 장치에서 어떤 이상 소견이 관찰되면 마취통증의학과 의사는 그에 따른 조치를 취한 뒤에 이상 없이 마취에서 잘 회복하는지를 환자 곁에서 마음을 졸이며 살펴보고 지켜보게 된다. 수술할 때 어떤 환자에게 위해를 가할 수 있는 상황이 벌어졌으면 더욱더 마음속 걱정을 억누르고 최대한 신중하게 환자를 관찰하게 된다.

흉부외과 의사가 폐암 환자의 폐 절제술을 진행하고 있는데 갑자기 같이 수술에 참여하고 있는 흉부외과 전공의에게 소리친다. "잘 보이게 하라고!" 흉강경 화면에는 피가 올라와 시야가 전혀 확보되지 않는다. 혈압은 곤두박질치고 있으며 환자 감시 장치에서 경보 소리가 요란하게 울려댄다. 구멍 몇 개만을 뚫어 시작한 수술이 갑자기 가슴을 열게 되고 상황이 긴박하게 돌아간다. 폐동맥(pulmonary artery)이 찢어진 것이다. 흉부외과 의사의 외침은 마취통증의학과 의사에게 도와달라는 절박한 신호이다. 찢어진 혈관을 봉합하기 위해 혈압을 낮추어 주고 혹시 모를 상황에 수혈까지 부탁한다는 의미이다. 그리고 환자의 안전을 위한 모든 수단에 대해 마취통증의학과 의사에게 일임하고 부탁하고 있는 것이다. 뿜어져 나오는 피의 양을 줄이기 위해 혈압을 낮추지만 이로 인해 다른 장기에 충분하게 혈액 공급이 되지 않아 이상이라도 생기지 않을까 걱정하며 조심스럽게 혈압을 조절한다. "혈압을 낮춘 지 너무 오래되어 이제 올려야 될 것 같은데 어떠세요?"라고 물어본다. 너무 낮은 혈압으로 여러 장기에 이상이 올 수 있는 시간이지만 찢어진 혈관을 봉합하지 않으면 밑 빠진 독에 물 붓기가 된다. 흉부외과 의사는 대답이 없다. 혈관 봉합을 위한 수술을 좀 더 진행해야 되므로 계속 혈압을 낮추어 도와달라는 신호이다. '어떻게 해야 할까? 이미 critical time은 넘겼는데.......' 머릿속에 여러 가지 불안한 생각이 스쳐 지나간다. '환자는 괜찮을까, 마취에서 잘 깨어날까?' 시간이 얼마간 지나 결국 폐동맥 봉합에 성공하고 환자의 혈압을 정상화한다. 환자는 다행스럽게도 마취 중에 무슨 일이 있었는지 모를 정도로 멀쩡하다.

환자의 마취 중 각성만큼이나 마취 중의 사건이나 사고에 대해 마취 중 감시 장치를 통해 미리 예측하고 알 수 있게 되어 마취에서 깨어나지 못하는 그러한 불상사를 방지하고 있다. 그렇지만 마취 중에 어떤 순간적인 사건이나 실수가 벌어지면 환자에게 돌이킬 수 없는 결과를 낳는다는 것을 알기 때문에 마취통증의학과 의사는 긴장의 끈을 놓지 않고 있다.

마취의 종류

마취는 크게 전신마취(general anesthesia)와 국소마취(local anesthesia)로 나누어진다. 국소마취는 마취통증의학과 의사의 도움 없이 시술이나 수술하는 의사가 직접 시술 또는 수술 부위에 국소마취 약제를 투여하는 방식으로 이루어진다. 보통 피부의 점을 제거하는 경우, 크지 않은 베인 상처를 꿰매는 경우, 시술이나 수술할 때 크게 통증이 수반되지 않는 경우에 사용된다. 이와 달리 전신마취는 마취통증의학과 의사가 마취를 담당하며 마취를 위해 주로 사용하는 마취 약제에 따라 흡입마취 방법(inhalational or volatile anesthesia)과 정맥마취 방법(intravenous anesthesia)으로 나누어지게 된다. 대개 정맥마취 약제로 전신마취를 유도하고 흡입마취 약제와 마약 제제를 사용해 전신마취를 유지하는 경우가 많다.

그렇지만 이와 달리 정맥마취 약제로 전신마취의 모든 과정이 이루어지는 경우 완전 정맥마취(TIVA: total intravenous anesthesia)라고 한다. 전신

마취의 종류

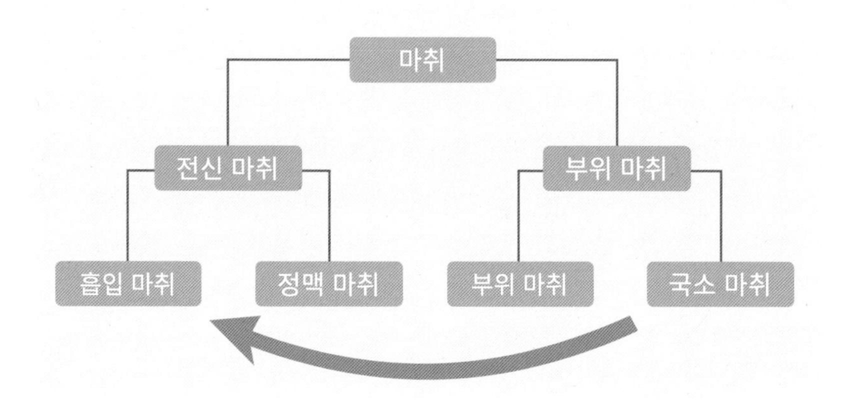

마취를 유지할 때는 환자의 호흡을 마취통증의학과 의사가 기관내삽관까지 하여 조절하는 경우가 가장 많다. 하지만 수술 시간이 그리 길지 않고 기도 관리에 크게 문제가 되지 않는다면 기관내삽관을 하지 않고 마취통증의학과 의사의 재량에 따라 잠시 마스크만을 사용하여 조절하기도 한다. 이와 같이 환자의 호흡 유지에 있어 기관내삽관 등을 하지 않고 가능하면 환자의 자발 호흡을 통해 전신마취를 유지하는 것을 감시마취관리(MAC:monitored anesthetic care)라고 한다. 이는 국소마취에 비해 통증은 심하지만 굳이 기관내삽관까지 시행하면서 환자의 호흡을 억제할 필요가 없는 시술이나 수술에서 사용된다. 최근 그 수요가 늘고 있는 소화기내과의 내시경적 점막 절제술(gastrointestinal endoscopic mucosal resection)이나 산부인과의 소파술(dilation & curettage) 또는 자궁경 수술(hysteroscopy) 등에서 많이 쓰이는 마취 방법이다.

건강 검진에서 위 또는 대장 내시경을 진행할 때 '수면마취'라는 용어를 종종 듣게 된다. 마취통증의학과 의사 입장에서 가장 당황스러운 용어 중의 하나이다. 마취를 통해 수면을 유도하든지 수면을 통해 마취를 유도하든지 마취에 사용되는 약제를 통해 수면을 유도하면 그 수면의 정도는 사람에 따라 약에 대한 감수성이 달라 얕은 수면이 될 수도 있지만 전신마취 상태처럼 완전히 깊은 수면으로 빠져들 수 있다. '수면마취'에서 시술이나 수술에 참여하는 사람들이 원하는 정도는 잠시 자는 정도* 일 것이다. 그렇지만 마취 약제의 반응이 하나를 주면 잠을 유도하고, 둘을 주면 이름을 부를 때 깨어나며, 셋을 주면 몸에 자극을 가할 때 깨어나는 등과 같이 단계적으로 변화가 나타나는 것이 아니다. 하나를 주면 대부분의 사람들이 잠을 자더라도 어떤 사람은 둘이나 셋 또는 그 이상을 주는 것과 같은 반응을 보일 수 있다. 마취 약제의 반응이 단계 별로 나타나는 것이 아니라 순간적으로 깊게 나타나서 잠이 아니라 호흡을 정지시킬 수도 있게 된다. 이를 진정 깊이 연속(continuum of depth of sedation)이라 하며, 이를 간과하면 결국 마취 관련 사고로 이어지는 것이다. 다시 말해 수면마취는 마취 약제 하나를 주어 하나의 반응을 기대하고 시행하지만 그렇지 않고 훨씬 강한 반응이 나올 수 있는 생명을 담보로 하는 엄청난 도박인 셈이다. 그래서 마취를 시행할 때 마취의 각 요소에 대해 감시 장치를 통해 철저히 환자를 평가하고 호흡 부전 등과 같은 원하지 않는 부작용에 대처할 수 있는 시설과 장비 그리고 인력에 대한 조치가 확실하게 준비된 곳이 아니라면 절대 수면마취를 포함해 어떤 마취를

* 시술이나 수술의 기억은 없애면서 호흡은 계속 유지되는 정도

진정 깊이 연속(Continuum of Depth of Sedation)

	최소 진정	중증 진정	깊은 진정	전신 마취
반응	정상	부르거나 흔들어야 반응	반복적인 또는 아픈 자극으로 반응	아픈 자극에도 반응 없음
기도 관리	영향 없음	기도 유지 위한 조치 필요 없음	기도 유지 위한 조치 필요할 수 있음	기도 유지 위한 조치 자주 필요
자발 호흡	영향 없음	적절하게 유지	적절하게 유지 되지 않을 수 있음	대개 적절 유지 되지 않음
심장 및 혈관	영향 없음	보통 기능 유지	보통 기능 유지	유지 되지 않을 수 있음

하거나 받아서도 안 된다. 사실 모든 마취 행위에 있어 시술이나 수술하는 의사와 마취를 수행하는 의사가 같아서는 안 된다. 사람이 한 가지에 집중하며 다른 한 가지에 집중하기는 쉽지 않다. 두 가지 일을 동시에 하면 일의 효율성은 떨어지게 된다. 그렇지만 이상은 이상일 뿐 현실은 그렇지가 않다는 것이 정말 안타깝다.

한 가지 더 언급하고 싶은 이야기가 있다. 시술이나 수술이 간단해 눈 깜짝할 사이에 시술이나 수술을 모두 마칠 수 있는 경우가 분명히 있다. 하지만 마취에서는 간단한 마취라는 것은 존재하지 않는다. 마취의 네 가지 요소를 고려해 마취를 수행하면 의식을 소실시키고 통증이나 반사를 없애는 과정에서 환자가 스스로 호흡을 하지 못하게 되는 경우가 종종 발생하게 된다. 호흡의 부전은 심장 기능의 저하를 유발하여 결국 혈압이 감소하고 좋지 않은 결과가 발생하게 된다. 마취통증의학과 의사는

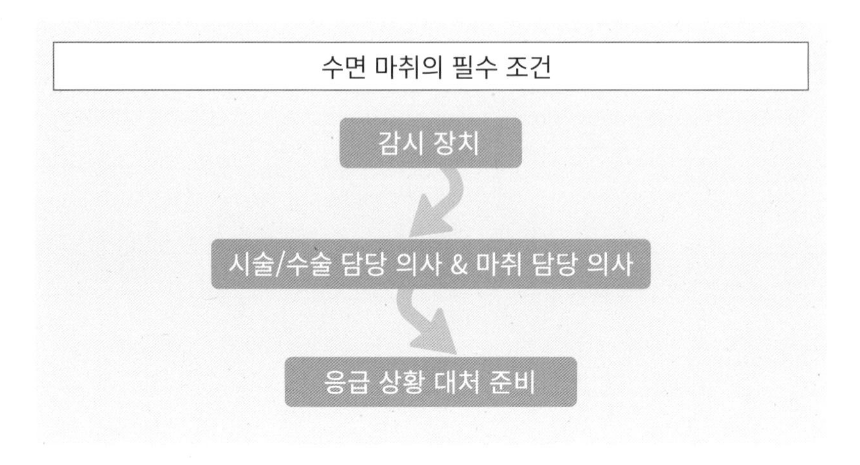

아무리 간단한 시술이나 수술의 마취에도 항상 이러한 부작용이 생길 가능성을 염두에 두고 준비해야 한다. 축구 경기에서 공격수의 기량이 출중하더라도 골대를 지키는 수문장의 한 번의 실수가 실점으로 이어질 수밖에 없다. "30분도 안 걸리는 수술인데 그냥 팔 하나만 마취해 주면 안 되나요?"라고 요청을 하는 경우도 있다. 30분이 걸리든지 1분이 걸리든지 소요 시간에 관계없이 마취통증의학과 의사는 일어날 수 있는 모든 경우의 수를 생각한 다음에 마취 계획을 세운다. 그래서 한쪽 팔만 마취를 하더라도 환자의 안전을 위해 사전에 전신마취 준비를 모두 해 두어야 하는 것이 원칙이다.

이와 같이 신체의 특정 부위만을 국소마취 약제를 사용하여 마취하는 것을 '부위마취(regional anesthesia)'라고 한다. 부위마취 방법은 척수에서 직접 국소마취 약제를 주입하는 방법과 척수에서 나온 신경에 국소마취 약제를 주입하는 방법의 두 가지로 구분된다. 척수에 직접 국소마취 약제를

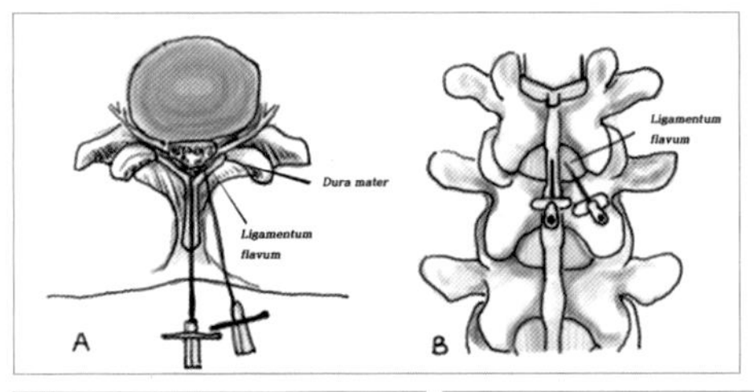

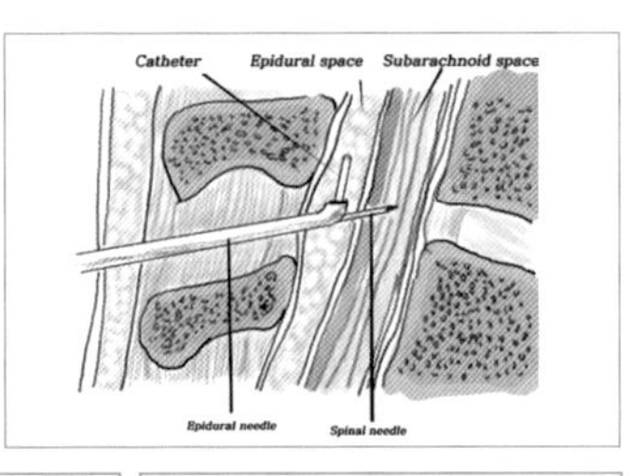

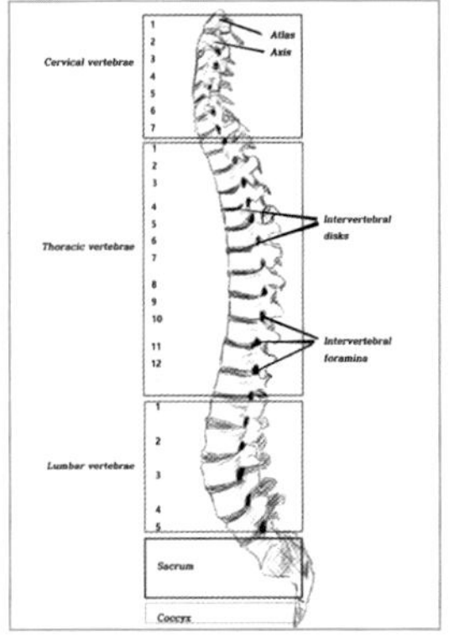

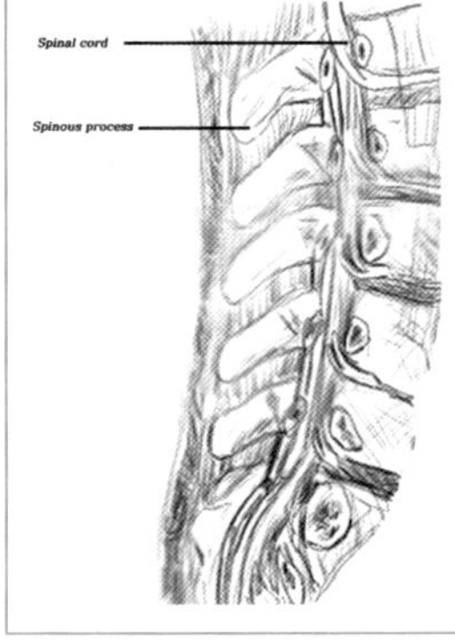

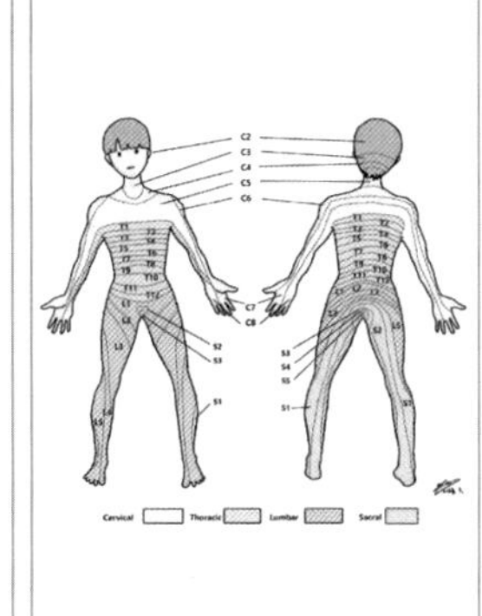

[그림 29] 척추 및 경막외 마취(Spinal and epidural anesthesia)

척추마취(spinal anesthesia)와 경막외마취(epidural anesthesia)에서 국소마취 약제가 작용하는 부위는 바로 척추 안에서 보호받고 있는 척수(spinal cord)이다. 좀 더 정확하게 말한다면 척수에서 빠져나온 척수신경(spinal nerve)이다. 척수신경은 총 31쌍으로 목부터 가슴, 허리 그리고 꼬리까지 우리의 온몸을 지배하고 있다. 목이나 가슴으로부터 나온 척수신경을 국소마취 약제로 마취를 시킨다면 심장이나 호흡에 미치는 영향이 크기 때문에 그 아래인 허리와 꼬리에서 나온 척수신경이 주로 마취에서 활용된다. 척추마취와 경막외마취가 "하반신 마취"라고 불리게 된 이유가 바로 이 때문이다.

주입하는 마취에는 주입하는 위치에 따라 척수강내(intrathecal space)에 주입하는 척추마취(spinal anesthesia)와 경막외강(epidural space)에 주입하는 경막외마취(epidural anesthesia)로 나누어지게 된다. 보통 하반신 마취라고 말하는 마취가 이 척추마취와 경막외마취이다. 다리 등의 수술을 할 때 허리에 주사를 맞았다면 척추마취나 경막외마취를 받은 것이다.

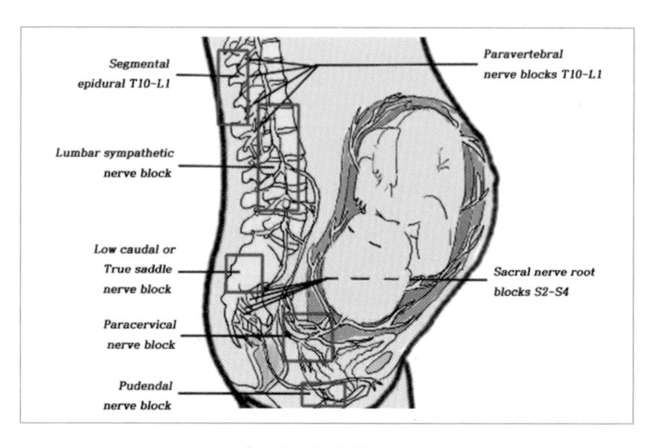

[그림 30] 무통분만

분만의 단계에 따라 분만에 따른 통증을 조절하는 방법이 달라진다. 그렇지만 경막외강(epidural space)에 국소마취 약제를 투여하는 경막외마취(epidural anesthesia) 방법이 소위 "무통분만"을 위해 활용된다. 만약 분만실에서 분만이 실패하면 산모는 수술실로 옮겨져 수술을 통해 분만을 하게 되는데 무통분만을 위해 경막외강에 관이 꽂혀 있다면 별도의 마취는 필요 없이 이 관을 통해 국소마취 약제를 투여하여 경막외마취를 유도하여 수술을 받게 된다.

무통분만을 시행할 때 분만 시의 통증을 조절하기 위해 분만하기 직전에 허리 부위에 어떤 관을 꽂아 넣는 시술을 한다. 이 관을 경막외에 위치시켜 경막외마취의 효과를 나타내어 통증을 조절하는 것이다.

척수에서 나온 신경에 국소마취 약제를 주입하는 방법을 '신경 차단(nerve block)'이라고 한다. 대표적인 예를 들면 팔을 수술할 때 팔만 마취하기 위해 팔에 분포하는 신경 다발인 팔신경얼기(brachial plexus)에 국소마취 약제를 주입하는 팔신경얼기 차단(brachial plexus block)을 들 수 있다. 목 부위의 척수에서 나와 팔로 가는 신경들은 목에서 겨드랑이를 지나 팔로 지나가게 된다. 이 경로의 어느 부위에서든지 신경 주변에 국소마취 약제를 투여해 팔을 마비하는 방법이다. 만약 신경의 일반적인 해부학적

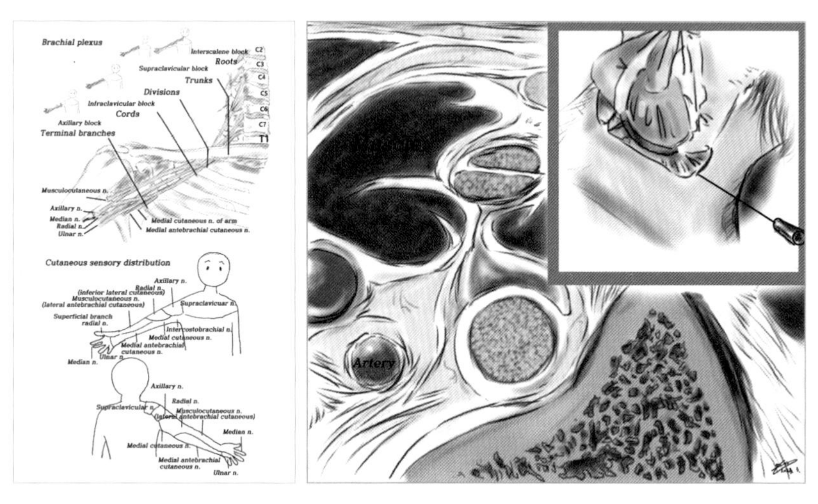

[그림 31] 신경 차단(nerve block)

신경 차단(nerve block)에서는 척추마취(spinal anesthesia)와 경막외마취(epidural anesthesia)처럼 척수에 국소마취 약제를 주는 것이 아니라 척수에서 빠져나온 개별 신경 또는 신경 다발에 국소마취 약제를 투여하게 된다. 이렇게 국소마취 약제를 투여하는 방법은 척추마취와 경막외마취에 비해 훨씬 비침습적인 방법이란 장점이 있다. 그렇지만 신경 차단은 해부학적 변이에 따라 신경 차단의 성패가 좌우되는 단점이 있을 뿐만 아니라 수술이나 시술하는 부위가 만약 하나의 신경이 아닌 여러 신경들의 지배를 받고 있다면 이런 여러 신경을 따로 신경 차단해야 하는 번거로움 그리고 이로 인한 국소마취 약제의 독성 등이 나타날 수 있는 단점 또한 갖고 있다. 그림에서처럼 한쪽 팔을 마취하는 경우에도 신경 차단을 목, 쇄골 주변, 겨드랑이 등 어디에서 시행하느냐에 따라 차단되는 신경의 범위가 달라진다. 척수에서 가까운 쪽, 다시 말해 목 쪽에서 시행하는 경우 상대적으로 척수에서 먼 겨드랑이 쪽에서 시행하는 경우에 비해 훨씬 많은 신경들을 차단시킬 수 있고 이는 결과적으로 훨씬 넓은 부위에서 마취 효과를 얻을 수 있다.

주행 경로가 다른 사람들과 다른 경우라면 신경 차단은 완전하게 이루어지지 않을 수도 있어 항상 국소마취 약제 외의 다른 마취 약제를 통해 이를 보완할 필요가 있다. 그래서 부위마취 시에는 전신마취에 대한 준비가 항상 필수인 것이다. 사실 마취통증의학과 의사가 관여하지 않는 국소마취라든지 마취통증의학과 의사가 관여하는 부위마취에서 시술이나 수술 부위가 계획했던 것과 달리 늘어나거나 시간이 연장되면 언제든지 전신마취로 전환될 수 있다. 이는 곧 환자의 안전을 위해 어떤 마취를 시행하든지 전신마취에 준한 장비와 시설을 갖추고 환자 감시를 철저히 하며 시행해야 하는 당위성을 부여한다고 할 수 있다. 부위마취는 전신마취에 사용되는 마취 약제의 부작용을 줄이기 위해 사용되기도 한다. 마취의 네 가지 요소를 보면 부위마취를 통해 통증을 줄이고 반사와 운동을 차단하면 그에 따라 마약 제제와 신경근차단제의 사용을 줄일 수 있게 된다. 또 사용하는 국소마취 약제의 농도를 조절하여 운동신경을 차단하지 않고 감각신경만을 차단하면 환자의 통증 조절에 잘 활용될 수 있다. 여러 가지 통증으로 마취통증의학과 외래를 방문하는 환자에게 이러한 신경 차단은 통증으로 인한 악순환의 고리를 끊는 좋은 치료 방법이 될 수 있다.

19
정맥마취 약제 및 마약 제제

앞서 언급한 바와 같이 약물이 투여되었을 때 신체 내의 농도가 어떻게 변할 것인가에 관한 학문이 '약동학'이고, 이 약물이 실제 어떤 효과를 나타내는 것인가에 관한 학문이 '약력학'이다. 흡입마취 약제는 기화기를 통해 환자의 폐에 도달하면 혈액으로 스며들어가 그 효과를 나타내게 된다. 시간이 지나면서 폐포에 있는 흡입마취 약제가 혈액으로 스며든 흡입마취 약제와 평형 상태에 도달하게 된다. 이렇게 평형 상태에 도달하게 되면 흡입마취 약제가 더 이상 혈액으로 이동하지 않게 되어 기화기에서 설정한 농도가 혈중 흡입마취 약제의 농도가 되기 때문에 흡입마취 약제의 농도에 따른 인체의 반응에 대해 알 수 있고 이를 통해 마취심도 등을 조절할 수 있게 된다. 하지만 정맥마취 약제의 혈중 농도를 예측하는 것은 그렇게 쉬운 일이 아니다. 정맥마취 약제는 약물을 정주하는 동시에 체내 농도가 급격하게 올라가고 전신으로 퍼진 뒤에 대사되는 과정을 거쳐 몸에서 배출된다. 따라서 약동학과 약력학에 대한 이해가 부족하다면 정맥마취 약제의 혈중 농도를 정확하게 예측할 수 없을 것이다. 처음에 정맥마취 약제를 정주한 뒤에 어느 시점에 얼마만큼 다시 약물을 정주해야 효과가 유지되며 몸에는 축적되지 않도록 할 수 있는지에 대해 정확하게 알고 있어야 한다. 만약 그렇지 못한 경우에는 약물의 효과에 대한 예측은 물론이고 안전한 사용은 불가능하다. 흡입마취 약제와 대비하여 정맥마취 약제는 종종 활시위를 떠난 화살이라고 표현한다. 흡입마취 약제는 호흡을 조절하여 그 농도 조절이 상대적으로 용이하다. 반면에 정맥마취 약제는 한 번 정주하면 체내 농도의 조절이 쉽지 않기 때문이다. 그만큼 정맥마취 약제의 농도와 효과에 대한 예측을 정확하게 하고 사용해야 환자의 안전을 담보할 수 있음을 강조한 표현이라고 할 수 있다.

정맥마취 약제는 1934년에 티오펜탈(thiopental)이 개발되면서 사용하기 시작했다. 주입과 동시에 효과가 빠르게 나타나기 때문에 마취의 유도나 시간이 별로 걸리지 않는 간단한 시술이나 수술에 사용하기 편리했다. 하지만 당시에는 아직 약동학이나 약력학이 발전하지 않았기 때문에 체내에서 티오펜탈의 운명에 대해 알지 못해 오랫동안 지속되는 시술이나 수술의 마취에는 사용이 쉽지 않았다. 현재는 정맥마취 약제의 약동학*과 약력학**에 대한 관심이 지대하여 발전을 거듭하고 있다. 이와 함께 정맥마취 약제를 투여하는 방법(infusion pump)과 정맥마취 약제의 효과에 대한 마취 감시 장치의 기술적인 진보에 힘입어 마취 유지에 흡입

* 정맥마취 약제의 체내 농도

** 정맥마취 약제의 체내 농도에 따른 효과

마취 약제보다 더 선호하는 마취통증의학과 의사들도 많다.

정맥마취 약제들의 작용 기전 역시 흡입마취 약제처럼 아직 명확하게 밝혀져 있지 않다. 그렇지만 뇌에서 가바(GABA:gamma-aminobutric acid)와 같은 억제성 신경 전달 물질의 분비를 촉진하고, 반대로 흥분성 신경 전달 물질의 분비는 제한하여 마취 효과를 나타낸다는 것이 정설이다. 일반적으로 정맥마취 약제는 심장 및 혈관에 작용해 혈압을 감소시킨다. 호흡 기능도 역시 저하하게 되며, 이때 기도 유지 등에 주의를 기울이지 않으면 호흡 부전으로 이어지게 되며, 이 호흡 부전은 혈압 저하까지 이어져 비극적인 상황으로 치달을 수 있어 조심해야 한다. 언론에서 마취와 관련된 사고 중에서 가장 빈번하게 보도되는 것 중의 하나이다.

현재 정맥마취 약제 중에서 티오펜탈(thiopental), 프로포폴(propofol), 에토미데이트(etomidate), 케타민(ketamine), 그리고 벤조디아제핀(benzodiazepin) 계열의 미다졸람(midazolam)이 임상에서 가장 많이 사용되고 있다. 우유처럼 하얀 색깔을 가져 일명 '우유주사'라고 불리는 프로포폴이 대중적으로 알려진 것은 마이클 잭슨(Michael Joseph Jackson, 미국, 1958년~2009년)의 사망 사건이 계기가 되었다. 콘서트 준비 때문에 잠을 잘 자지 못한 그는 몇 주 동안 프로포폴을 거의 매일 맞았다. 사건 당일(2009년 6월 25일)에는 여러 종류의 수면 유도 약제와 함께 프로포폴을 맞고 잠이 들었으며, 그는 몇 분 뒤에 숨진 채 발견되었다.

프로포폴의 가장 큰 장점은 깨어날 때 숙취가 없다는 것이다. 숙면 후 기상했을 때의 상쾌함은 너무나도 즐거운 경험임에는 틀림이 없다. 그래서 피부 또는 성형 시술 그리고 정체불명의 용어인 수면마취를 통한 위 또는 대장 내시경술에서 많이 쓰이게 된다. 게다가 프로포폴은 성적인 카타르시스를 준다는 이야기도 있다. 환자에게 이러한 경험에 대해 실제로 들어본 적은 없지만 전공의 시절에 프로포폴 사용으로 환자의 돌발적 행동에 당황했던 순간이 있었다. 환자가 후배 언니였는데 개인적인 부탁으로 코성형술(rhinoplasty)을 MAC으로 진행했다. 수술 중간에 그녀에게 "혹시 불편한 점이 있나요?"라는 물었더니 그녀는 너무 편안하게 수술을 진행하게 되어 좋다면서 갑자기 내가 멋있다며 함께하고 싶다는 이야기를 불쑥 꺼냈다. 그녀는 계속 남자관계에 대해 수다를 떨기 시작했다. 상당히 무안함을 느낀 나는 그녀를 좀 더 깊은 마취 상태로 빠져들게 했다. 마취가 종료된 뒤에 그녀에게 "혹시 마취 때 기억나는 것이 있나요?" 라고 물었더니 아무것도 생각나는 것이 없다고 했다. 우리나라에서도 최근 몇 년 동안 프로포폴의 효과에 의존하는 사람들이 많아지고 있으며 이름만 대면 삼척동자도 알 수 있는 유명 인사들까지 연루되어 언론의 한 면을 장식했다. 프로포폴을 맞기 위해 일주일에 몇 번씩 위내시경을 하며 1년 동안 몇 백 번의 위내시경을 받은 사람도 있었다. 정말로 어이없는 일이다. 가장 황당한 일은 프로포폴을 아예 대놓고 환자에게 돈을 받고 판매한 의사가 있었다는 것이다. 한 번에 몇 만 원이나 몇 십만 원씩을 받고 환자에게 판매하여 환자들을 프로포폴 중독 상태로 만든 것이다.

여기서 상쾌한 기분이나 카타르시스를 얻기 위해 프로포폴을 찾는 의존이나 중독 문제는 프로포폴로 해결해야 될 문제가 아님을 강조하고 싶다. 굳이 마약을 투약하면서까지 왜 그러한 상쾌함이나 카타르시스를 갈구하는지 그 원인에 대해 깊이 숙고해 보고 프로포폴이 아닌 다른 방안을 찾을 수 있도록 도움을 주어야 되는 것이다. 이를 상업적으로 이용해 돈을 벌 수 있는 기회로 생각하고 프로포폴을 주어 더욱 나락으로 떨어뜨리는 것은 의료진이 아니더라도 절대로 해서는 안 될 쓰레기 같은 행동인 것이다. 프로포폴과 관련된 사고에서 가장 빈번하게 발생하는 것 중의 하나는 호흡 부전이다. 이는 다른 정맥마취 약제의 경우에서도 마찬가지로 발생할 수 있는 문제이다. 그럼에도 불구하고 다른 정맥마취 약제에 비해 프로포폴에 대한 언론 기사가 다수 올라오는 것은 그만큼 프로포폴을 많이 사용하고 있음을 나타내는 반증이며, 따라서 좀 더 주의를 기울여야 된다는 뜻일 것이다.

마취의 종류에서 진정 깊이 연속(Continuum of Depth of Sedation)이라는 용어를 설명한 바와 같이 프로포폴을 어느 정도 용량을 주었을 때 환자가 잠이 드는지는 같은 환자라도 환자의 상태에 따라 달라질 수 있다. 그리고 살짝 잠이 든 후 깊은 마취 상태까지 도달하는 것은 마치 수학 공식처럼 천편일률적으로 모든 환자에게 적용할 수 없으므로 마취 감시 장치를 통해 환자의 상태를 면밀하게 관찰하는 것이 필수이다. 호흡이 중지되었을 때 빠른 조치가 뒤따르지 않는다면 그 결과는 돌이킬 수 없는 상태로 치닫게 될 것이다. 우리나라에서 프로포폴이 마약 제제처럼 관리대상 약물로 지정되면서 프로포폴을 찾아 여기저기 헤매는 의존이나 중독에 대한 문제들이 많이 사라진 것처럼 보였다.

하지만 최근 에토미데이트(etomidate)가 비슷한 이유로 부각되기 시작했다. 프로포폴이 마약 제제처럼 관리되는 것에 반해 에토미데이트는 그 관리에서 벗어나 있었다. 워낙 마취 유도 및 유지에 프로포폴이 독보적으로 우수하다고 정평이 나 있어 에토미데이트는 아예 큰 관심을 받지 못한 정맥마취 약제였다. 사실 에토미데이트는 나름 큰 장점이 있는 정맥마취 약제이다. 많은 정맥마취 약제들이 심장 및 혈관에 억제 작용을 하여 혈압을 떨어뜨리는 부작용이 있는 반면에 에토미데이트는 심장 억제 기능이 심하지 않아 심장 기능이 많이 떨어진 환자에게 유용하게 사용할 수 있는 정맥마취 약제이다. 그러한 에토미데이트가 프로포폴처럼 우유 빛깔을 내고 규제의 사각지대에 있어 프로포폴의 영광을 대신할 약물로 떠오른 것이다. 최근 몇 명의 유명 인사들이 에토미데이트 의존 또는 중독과 관련해 언론 보도에 오르내렸다. 하지만 사실 프로포폴을 대신해서 에토미데이트가 그 지위를 이어받을 것이라는 것은 프로포폴만 규제 대상이 되며 예상되었던 결과였다. 프로포폴의 노예인 사람들을 대상으로 돈만을 좇는 탐욕에 휩싸인 의사 탈을 쓴 악한에게 좋은 기회를 제공한 법적 환경이 만든 결과라고 할 수 있다. 에토미데이트도 정맥마취 약제이므로 호흡 부전의 발생 문제는 프로포폴과 마찬가지로 존재한다. 에토미데이트의 반복 투여는 우리 몸의 스트레스 상황에서 작용하는 호르몬의 분비를 관장하는 부신의 기능을 억제하여 문제를 초래할 수 있다.

수면 장애가 있고 이로 인해 특정 약물에 대한 의존과 중독이 있다는 것은 정신적으로 문제가 있고 도움이 필요하다는 것이다. 이는 특정 약물을 환자에게 제공하여 해결해 주는 것이 아니라 부작용이 없는 다른 정상적인 해결 방법을 제시하여 풀어야 할 문제이다. 이러한 환자를 만나면 의사는 당연히 정신건강의학과 의사에게 상담을 받을 수 있도록 조치를 취해야 한다. 이러한 약물 의존이나 중독을 가진 환자도 본인이 갈구해야 하는 것이 약물이 아니라 정확한 진단과 치료임을 알아야 할 것이다. 그리고 사회적인 제도는 규제만을 통해 단속하는 것이 아니라 재활을 도울 수 있는 법적 근거를 뒷받침하도록 정비되어야 할 것이다.

케타민(ketamine)은 다른 정맥마취 약제들에서 볼 수 없는 여러 가지 독특한 특징들을 가지고 있다. 우선, 케타민을 투여하면 환자는 눈을 뜨고 깨어 있는 것처럼 보이지만 기억이나 의식이 없는 상태를 보이는 특징이 있다. 때로는 아무 의미 없는 움직임을 보이기까지 한다. 이로 인해 꿈을 꾸거나 환각을 느끼기도 하며, 마취가 종료된 후 각성이 이루어졌음에도 불구하고 계속 그러한 증상을 보일 수도 있다. 이러한 케타민투여 후 의미 없는 움직임은 시술이나 수술 시의 자극에 따른 것인지 혼동되어 더 많은 케타민을 투여하게 되는 실수를 범해 마취에서 더 늦게 깨어나는 문제를 유발하기도 한다. 케타민의 또 다른 특징은 정맥마취 약제들을 사용할 때 단점으로 지적되는 호흡 억제나 혈압 감소가 미미하다는 점이다. 정맥마취 약제를 사용할 때 호흡 억제와 혈압 감소는 종종 치명적인 결과로 귀결되기 때문에 케타민의 이러한 장점은 호흡 문제나 혈압 저하가 예상되는 환자에게 유용하게 쓰일 수 있다. 케타민이 다른 정맥마취 약제와 달리 가지고 있는 장점이 또 하나 있다. 바로 통증을 억제한다는 것이다.

벤조디아제핀(benzodiazepine) 계열의 약물은 다른 정맥마취 약제처럼 호흡을 억제하고 혈압이 감소되지만 티오펜탈이나 프로포폴에 비해 그 정도가 크지 않은 것이 장점이다. 그렇지만 수면 유도나 마취에서 회복되는 시간이 티오펜탈이나 프로포폴에 비해 훨씬 긴 단점을 가지고 있다. 그렇지만 벤조디아제핀은 다른 흡입마취 약제에 비해 특징적인 장점을 가지고 있다. 활시위를 떠난 화살에 비유되는 정맥마취 약제이지만 벤조디아제핀은 길항제인 플루마제닐(flumazenil)이란 약제가 있어 벤조다이아제핀의 효과를 빠르게 역전 또는 중화시킬 수 있다는 점이다.

이는 정맥마취 약제의 사용에 있어 안전을 보장하는 엄청난 장점이라고 할 수 있다.

앞서 다양한 정맥마취 약제에 대해 정리해 보았다. 정맥마취 약제라는 큰 틀에서 각 약제들이 비슷한 점도 있고 다른 약제들에 비해 독특한 점도 가지고 있다. 활시위를 떠난 화살로 표현되는 정맥마취 약제는 한 번 투여되면 되돌릴 수 없어 환자 개개인의 특징에 따라 인체에 들어간 정맥마취 약제의 농도와 효과에 대한 고민 없이 사용하면 그 장점에도 불구하고 치명적인 결과를 초래할 수 있다. 최근에는 약동학 및 약력학의 이해와 더불어 정맥마취 약제의 투여 방법에 대한 기술적인 발전에 힘입어 TCI(target-controlled infusion)이라는 새로운 약물 투입 방법이 가능하게 되었다. TCI는 약물의 농도에 따라 약물의 효과를 예측하여 인체에 약물을 주입하는 방법으로 보다 정확하고 예측이 가능한 약물 주입을 할 수 있게 한다.

20
마약 제제

정맥마취 약제는 마취의 제1 요소인 진정과 최면을 위해 사용하고, 마약 제제는 마취의 제2 요소인 진통 그리고 반사 억제를 위해 사용하게 된다. 정맥마취 약제와 마약 제제는 단독으로 각자 사용했을 때 비해 함께 사용하면 그 효과가 증가되는 경향이 있다. 이는 흡입마취 약제와 마약 제제를 함께 사용했을 때도 마찬가지이다. 이러한 이유로 마약 제제는 단독으로 사용하기도 하지만 마취의 제1 요소를 위해 흡입마취 약제나 정맥마취 약제를 사용할 때 함께 사용되는 경우가 많다. 이때 서로의 효과가 증가되는 것을 꼭 염두에 두고 사용해야만 사고의 위험을 줄일 수 있다.

마약 제제인 오피오이드(opioid)는 중추 신경에 있는 오피오이드 수용체에 결합하여 효과를 나타내는 약물의 총칭이다. 기원전 수천 년 전부터 양귀비를 재배하여 진통제 등으로 사용했던 기록이 남아 있는 것을 보면 인류의 역사와 함께했다고 말하더라도 과언은 아닐 것 같다. 양귀비처럼 식물에서 추출하는 마약 제제에서부터 합성으로 생성되는 마약 제제까지 종류가 다양하다. 하지만 현재 임상에서 사용하는 마약 제제는 모르핀(morphine, meperidine), 펜타닐(fentanyl), 수펜타닐(sufentanil), 알펜타닐(alfentanil), 레미펜타닐(remifentanil) 등이 있다. 마약 제제의 가장 큰 효과는 진통 기능이다. 이를 통해 마취 시에 마취의 제2 요소인 통증과 반사 조절을 담당하게 된다. 일반적으로 심장 및 혈관에 억제 작용이 크지 않아 혈압에 미치는 영향이 많지 않은 것으로 알려져 있지만 말초 혈관 저항의 감소 등으로 인해 혈압이 심각하게 감소될 수 있다. 특히, 마약 제제의 사용으로 주의해야 할 것은 호흡 저하이다. 이러한 호흡 억제는 의식 저하와 밀접하게 관계가 있어 의식 상태를 면밀히 관찰하는 것이 중요하다.

마약 제제를 많이 사용하면 수술 후 오심 및 구토의 발생이 높아지는 문제가 있다. 수술 후 오심 및 구토는 통증과 더불어 수술 후 환자들이 가장 걱정하는 것 중의 하나이다. 마약 제제를 사용하여 통증을 조절하면 수술 후 오심 및 구토가 증가할 수 있고, 수술 후 오심 및 구토를 줄이려고 마약 제제를 충분하게 사용하지 않는다면 수술 후의 통증 조절에 실패하게 되므로 딜레마가 아닐 수 없다. 그렇지만 마약 제제와 다른 작용 기전을 가진 약제들을 사용하든지 신경 차단 등의 방법을 사용해 마약 제제의 사용을 줄이면서 이러한 딜레마를 효과적으로 해결할 수 있다.

마약 제제의 사용에 있어 또 다른 문제는 간지럼증이다. 마약 제제로 통증을 조절하는 암성 통증 환자들이 "벌레가 피부 속에서 움직이는 것 같아요."라고 말하는 경우가 있다. 영화나 드라마에서 마약에 중독된 사람들을 보면 환각과 함께 몸속에 벌레가 있다며 피가 나고 깊은 상처가 생겼음에도 불구하고 몸을 긁는 장면을 볼 수 있다. 이것이 마약 제제의 간지럼증이다. 사실 마약 제제도 정맥마취 약제 중의 하나인 벤조디아제핀(benzodiazepine)처럼 길항제가 있어 급성으로 나타나는 부작용에 대해서는 빠른 처치가 가능하지만 길항제인 날록손(naloxone)의 효능 시간이 길지 않아 다시 마약 제제의 효과가 나타날 수 있다. 결국 적절한 약제를 용량과 용법에 맞게 사용하며 피치 못할 부작용을 막기 위해 환자에 대한 적절한 감시와 이에 대처하는 시설과 장비는 아무리 강조해도 지나치지 않다고 말할 수 있다.

또 마약 제제에 대해 설명하다 보면 "전신마취를 자주 받게 되면 마약에 중독되지 않을까요?"라는 질문을 받게 된다. 전신마취를 받게 되는 것은 어떤 시술이나 수술의 이유가 있기 때문이다. 다시 말해 의학적인 필요에 따라 전신마취를 받는 것이며 아무 이유 없이 시술이나 수술을 받는 것이 아니다. 시술이나 수술에서 통증을 유발하게 되고 이를 조절하기 위해 마약 제제를 사용하게 되는 것이다. 전신마취는 불가피하게 선택하는 것이다. 예를 들어 교통사고를 당해 여러 부위를 다치는 경우에는 한 번의 전신마취로 수술을 모두 시행할 수 없게 된다. 이때 짧은 기간에 여러 번의 전신마취가 필요한 경우가 있다. 이러한 경우라도 환자가 마약 제제를 탐닉하게 될 정도로 문제가 되지는 않는다.

정작 마취를 자주 받는 것으로 인해 문제가 생길 수 있는 경우는 따로 있다. 이는 치료가 반복적으로 필요한 소아 환자에서의 마취이다. 특히, 화상을 입은 소아 환자의 경우에는-생각만 해도 가슴이 매어오고 미안한 일이다-매일 아이의 상처를 소독할 때 조금이라도 통증을 줄이기 위해 그리고 상처 소독을 원활하게 시행하기 위해 마취를 하게 된다. 이 아이에게 계속되는 마취 약제의 중독이 문제가 될까? 아니면 상처를 소독하는 과정에서 발생하는 통증이 문제가 될까? 이러한 경우의 마취 역시 피할 수 없는 선택일 뿐이다.

전신마취를 통해 마약 제제에 대한 중독 등이 일어나기 위해서는 전신마취 중에는 아무 기억이 없으니 전신마취에서 깨어난 뒤에 사용되었던 마취 약제에 대한 효과에 대해 만족감을 느껴야 될 것이다. 그렇지만 현재 전신마취를 위해 사용하고 있는 마약 제제는 전신마취의 종료와 함께 그 효과가 끝나므로 탐닉을 목적으로 사용되기는 쉽지 않다. 예를 들어, 전신마취 시에 마취의 제2 요소인 진통과 반사 억제를 위해 사용하는 마약 제제 중에 레미펜타닐은 현재 임상에서 가장 많이 사용하는 마약 제제 중의 하나로 전신마취 시에 지속적으로 투여하더라도 투여를 중지하면 중지 수분 내에 혈중 농도가 감소되어 그 효과가 사라지게 된다. 효과가 오래 지속되는 마약 제제를 사용하더라도 이는 시술이나 수술 후 급성 통증을 억제하기 위해 의학적인 판단에 따른 것이며 중독으로 이어지기는 쉽지 않다.

마약 제제의 심리적 또는 신체적 중독은 급성 통증이 아닌 만성 통증과 연관이 있다. 오랜 시간 지속되는 통증에서 환자들은 더 빨리 더 오래 고통을 억제하기 위해 강한 진통제를 찾게 되며, 이로 인해 마약 제제를 찾게 되는 것이다. 마약 제제의 중독을 예방하기 위해서는 만성 통증 환자의 경우 환자가 스스로 통증을 조금이라도 감내하는 노력이 필요한 것이다. 하지만 의사가 마약 제제를 쉽게 처방하지 말고 진통을 위해 여러 방법을 사용한 뒤에 최후의 선택으로 마약 제제를 쓰게 하는 노력도 역시 중요하다고 할 수 있다.

21
마취와 범죄

2015년 3월에 한 남자가 모텔에서 조건 만남을 위해 찾아온 여중생을 온라인을 통해 구입한 클로로포름(chloroform)을 흠뻑 적신 헝겊으로 목과 입을 틀어막았다. 그는 이전에도 같은 방법으로 성 매매를 한 다음 상대방을 재운 뒤에 지갑을 훔친 적인 몇 번 있었다. 그렇지만 이번에는 지갑을 훔치는 데에만 그치지 않았다. 몇 시간 뒤 겨우 14세인 여중생은 싸늘하게 식은 채로 발견되었다. 이는 2015년 우리나라에서 있었던 클로로포름 관련 살인 사건에 대한 내용이다. 이후 클로로포름을 아무런 규제 없이 너무 쉽게 구입이 가능하다는 점을 들어 대중의 질타가 이어졌다.

그런데 의학적 관점에서 흡입마취 약제를 억지로 들이마시게 하여 의식을 없애는 것은 쉬운 일이 아니다. 억지로 코와 입을 틀어막은 강압적인 행위에서부터 들이마시기에는 너무 자극적인 흡입마취 약제까지 헝겊에서 뇌에 이르기까지 흡입마취 약제가 넘어야 할 방해물이 너무 많다. 그렇지만 영화나 드라마의 장면을 보면 어둠 속에서 어떤 남자가 은밀하게 다가와 무방비인 사람의 코와 입을 헝겊으로 막자마자 맥없이 쓰러지며 어둠 속으로 그 남자의 그림자와 함께 사라지는 범죄 장면은 너무 인상적이다. 그래서 실제 손을 뿌리치고 발버둥거리며 오랜 시간 저항하는 범죄 장면을 넣는 것보다 훨씬 좋은 선택이라는 것에는 이견이 없을 것이다. 비록 의학 자문을 받는다면 이해 안 되는 장면이라고 할 것임이 분명하겠지만.

어두컴컴한 지하 감방에서 속옷만 입은 채 얼굴은 검정색 두건에 쌓인 한 남자가 손이 뒤로 묶인 채 의자에 묶여 있다. 남자의 몸에는 여러 곳에 피멍이 있는 것으로 보아 뭔가 끔찍한 일이 그 남자에게 있었다는 사실은 틀림이 없다. 미동 없이 늘어진 채 의자에 고정되어 있어 얼핏 죽은 듯이 보였으나 얼굴을 싼 두건이 숨을 쉴 때마다 미약하지만 움직이는 것으로 보아 아직 그가 살아 있다는 것을 알 수 있다. 말끔한 정장 차림의 한 남자가 그를 노려보더니 천천히 다가간다. 그리고 정체 모를 주사를 그의 팔뚝에 투여한다. 온갖 협박에도 굴하지 않은 그를 이번에는 굴복시킬 수 있을까? 이는 고문을 하며 자백을 강요하는 영화 장면으로 자백을 유도하는 약물이 연상된다. 사실 이러한 고문 관련 기술은 필연적으로 윤리적인 문제가 있을 수 있어 기밀로 취급되며 알 수 없지만 이를 위해 사용하는 약물은 티오펜탈(thiopental)이라고 알려져 있다.

마취 중이나 마취에서 깨어날 때 환자는 의도하지 않게 꼭 술에 취해 다음날 기억나지 않거나 기억이 나더라도 희미한 그러한 상태로 어떤 이야기를 하는 경우도 있다. 이러한 일이 왜 생길까? 앞서 정체불명의 단어인 수면마취를 언급할 때 MAC에 대해 설명했다. MAC에서 마취 목적은 환자가 시술이나 수술에 대한 불안을 없애는 것이 가장 크다고 할 수 있다. 마취의 제1 요소를 얕게 유지하고 마취의 제2 요소인 진통과 반사 억제가 그렇게 많이 필요하지 않은 시술이나 수술에서 사용되는 마취 방법이다. 이때 시술이나 수술하는 사람의 요구에 따라 마취의 제4 요소인 운동차단은 되어 있지 않아 체위를 변경하는 등은 가능하고 심지어 대화까지 가능하게 된다. 사람들은 살아가면서 많은 거짓말을 하며 살아가게 된다. 그리고 이 거짓말을 감추기 위해 또 다른 거짓말을 하게 된다. 거짓말을 하는 것은 어쨌거나 의도적인 것이다. 말 그대로 의도적이라는 것은 거짓말하고자 하는 생각이나 계획이 있다는 것이다. 거짓말을 하는 행위는 뇌에 또 다른 수고를 하게 하는 작업이라는 것이고, 여기서 마취는 이러한 뇌의 수고를 덜어 주게 만든다. 마취 약제이든지 술이든지 뇌의 긴장을 풀어 줄 수 있는 어떤 약물이나 식품 또는 행위 등은 모두 자백을 유도하기 위해 사용될 수 있다. 마치 과일 껍질을 벗겨 과일의 속내를 드러내게 만드는 것에 비유할 수 있다. 그러면 이 자백이라는 것이 과연 진실일까? 사실 그 속내가 진실인지 아닌지는 사람에 따라 다를 수 있다. 한 꺼풀만 벗기면 속내가 다 드러나는 사람이 있는 반면에 양파처럼 벗기더라도 속내가 다 드러나지 않는 사람도 있기 때문이다. 현재 자백을 유도하기 위해 약물을 사용하는 행위 자체가 불법이고 이는 또 하나의 폭력으로 간주되고 있다.

범죄 피해자의 배경 환경과 범죄 현장의 모습을 통해 미지의 범죄자를 특징짓는 미국 TV 시리즈인 <크리미널 마인드(Criminal Minds)>에 흠뻑 빠진 적이 있었다. '미국에는 웬 미친놈들이 이렇게 많지?'라며 미국으로 연수를 가기 전에는 미국에서 사는 것에 대한 막연한 두려움을 느낀 적도 있었지만 FBI(Federal Bureau of Investigation) 요원들이 미확인범(unsub:unknown subject)을 프로파일링(profiling)하는 모습에서 한 번쯤은 의사로서 FBI에서 일하는 것도 멋진 일이겠다는 생각에까지 이르기도 했다. 미확인범이 범행 대상을 물색하고 은밀하게 다가간다. 범행 대상자의 목 부위에 주사를 놓자 다리가 풀리며 쓰러진다. 어느 곳인지 모를 곳으로 옮겨지고 있는데 도망치고 싶지만 다리에 힘이 들어가지 않는다. 미확인범의 모습을 본 것도 같은데 살짝살짝 희미한 실루엣만이 보일 뿐이며 짙은 안개 속에 파묻혀 있는 것처럼 모든 것이 확실하지 않다. 피해자는 결국 인적이 드문 곳에 특정 자세를 취한 채 버려진다. 부검을 통해 피해자의 몸에 다량의 케타민(ketamine)이 투여되었음이 밝혀진다. 피해자의 뒤쪽에서 몰래 접근하여 정확하게 목에 있는 정맥을 찾아 주사하는 것은 어려운 일이므로 미확인범은 피해자의 근육에 주사했다고 추론할 수 있다. 케타민을 정맥에 주사하면 바로 심장에 도달하여 뇌에 좀 더 신속하게 효과를 나타낼 수 있겠지만 근육에 주사하면 심장으로 들어가기까지 장벽이 많아 시간이 더 많이 소요될 수밖에 없고 효과는 더 느리게 나타날 수밖에 없다. 효과를 빠르게 나타내기 위해 보통 투여하는 양보다 훨씬 많은 몇 배의 양을 투여할 수도 있을 것이다. 하지만 TV 시리즈 <크리미널 마인드>에서 보듯 그렇게 맥없이 피해자가 쓰러지지는 않을 것이다. 영화는 영화일 뿐이다.

버락 오바마(Barack Hussein Obama II, 미국, 1961년~)는, "마약 중독은 건강 문제이지 범죄 문제가 아니다(Drug addiction is a health problem, not a criminal problem)."라고 말했다. 이는 오래전부터 미국 내 약물 중독이

국가적인 문제임을 직시하고 있었다. 현재 전 세계를 공포로 몰아넣고 있는 코로나19(COVID-19) 팬데믹이 발생하기 전까지 항상 미국의 건강 문제 중에서 또는 모든 문제 중에서 1순위는 오피오이드(opioid), 즉 마약 제제였다*. 마취에 있어 마약 제제는 마취의 제2 요소인 진통 및 반사 억제를 위해 없어서는 안 될 존재이다. 꼭 필요한 환자에게 꼭 필요한 양만큼 사용하는 것은 전혀 문제가 되지 않는다. 그렇지만 어떤 의학적인 이유 없이 단지 쾌락을 위해 마약 제제를 사용하는 것은 절대 용납되어서는 안 된다. 마약 제제를 통한 단 한 번의 강한 경험이 중독이라는 꼬리표를 달게 만든다.

마취통증의학과 교수로서 마취통증의학과 전공의에게는 절대 용납하지 않는 것이 있다. 본인이 아플 때 정맥으로 진통제를 주는 것이다. 의사 중 마취통증의학과 의사는 마약 제제를 항상 사용하게 되므로 어렵지 않게 마약 제제에 접근할 수 있다. 약물의 효과는 입으로 먹는 것보다 주사로 맞는 것이 더 빠르게 나타나고 그중에서 정맥 주사로 투여하는 것이 제일 빨리 효과를 볼 수 있다. 진통제의 효과를 당장 보기 위해 정맥 주사를 맞으면 훗날 다른 통증이 있을 때도 정맥 주사를 찾게 될 수 있다. 그리고 이는 결국 좀 더 효과가 좋은 진통제를 찾는 행동으로 이어질 수 있어 마약 제제까지 쉽게 처방을 내고 맞을 수도 있지 않을까 하는 노파심에서 언급하며 이는 전공의에게 절대 용납되지 않는 행동이다. 실제 마약 제제를 일반인이 구하기 힘든 우리나라 현실에서 보면 의료에 종사하는 사람들에게서 마약 제제 중독 등의 문제가 더 많다는 보고도 있다. 마약

* Opioid overdose epidemic

제제 중독은 결국 더 많은 마약 제제의 갈구로 이어지고 이는 호흡 억제의 부작용을 부채질하게 되어 결국 사망에까지 이르게 한다. 마약 제제의 오용이나 남용을 개인적인 문제라고 치부해서는 안 된다. 마약 제제를 찾는 개인의 자정 노력에서부터 시작해 이러한 마약을 찾는 행위가 일어나게 되는 사회 현상까지 치료하는 모두의 자정 노력이 필요하다. 마약 청정국이라고 불리던 대한민국이 이제 그 지위를 잃고 있다는 이야기를 종종 듣게 된다. 한 번쯤 호기심에서, 재미를 위해, 딱 한 번만 등의 사고방식은 절대 안 된다.

최근 여러 가지 이유로 반려동물에 대한 관심 또한 증가하고 있다. 함께 지내면서 웃고 울며 식구가 된다. 그러한 식구이지만 기대 수명은 사람에 비해 많이 짧아 어쩔 수 없이 먼저 떠나보내게 되는 경우가 많아질 수밖에 없다. 웰다잉(well-dying), 아름다운 죽음, 존엄사, 안락사, 연명 치료 중단 등 어떤 표현이 맞는지 모르겠지만 우리나라에서는 아직 소극적으로 허용되거나 또는 법적으로 제한이 있지만 반려동물에서는 이러한 안락사(euthanasia)가 많이 이루어지고 있는 것으로 보인다. 본인도 역시 종종 동물실험을 많이 진행하므로 안락사에 대해서는 항상 동물실험을 계획할 때 많은 고민을 하게 된다. 실험에 사용되는 동물이 실험 대상인 것조차 모르는 상황에서 편안하게 안락사를 맞을 수 있도록 동물 입장에서 생각하고 또 고민한다. 동물실험에서 실험한 뒤에 동물은 고통 없이 죽음으로 인도되어야 하며 안락사에 대해 엄격한 기준으로 판단되어야 한다. 만일 그러한 과정이 이루어지지 않은 실험은 윤리적으로 절대 허용되지 않는다. 내가 수의사가 아니라 반려동물에게 어떤 방법으로 안락사가 시행되고 있는지는 정확히 알지 못한다. 그렇지만 식구를 떠나보냄에 있어 아무런 고통 없이 죽음을 맞이하게 하려면 먼저 정맥마취 약제나 흡입마취 약제로 마취를 유도하고 의식이 없는 상태에서 호흡이나 심장이 멈출 수 있도록 해야 할 것이다.

그러면 여기에서 한 가지 걱정스러운 점이 있다. 사람이라면 마취 감시 장치를 통해 의식이 없음을 수치를 통해 알 수 있지만 반려동물의 의식이 없음을 어떻게 알 수 있을까? 단순하게 외부 자극에 대해 반응이 없다거나 의식이 없다고 단정하는 우를 범하는 것은 아닌지 모르겠다. 사실 개별 동물에 대한 마취 심도 감시에 대한 연구에 기초하여 마취를 유도하거나 유지해야 안락사의 의미에 충족할 것이다. 심지어 아무런 마취 유도 없이 신경근차단제를 투여해 죽음에 이르게 한다는 이야기도 들은 적이 있다. 이것은 고문이다. 의식이 있는 상태에서 신경근차단제를 이용해 호흡을 억제하여 질식하게 만드는 것은 고통 속에 죽음에 이르게 할 뿐이다. 남겨진 사람 식구들은 아무것도 모른 채 편안하게 보냈다고 생각하겠지만 사실은 전혀 그렇지 않은 것이다. 그래서 반려동물의 편안한 죽음을 기대하며 시행하는 행위가 정말 윤리적으로 시행되고 있는지 여부를 확언하기가 어렵다. 따라서 반려동물을 위한 마지막 결정을 좀 더 과학적 지식을 근거 삼아 어떤 방법을 어떻게 적용해야 하는지에 대한 고민을 거친 다음에 수행되어야 할 것이다.

마취에 사용하는 거의 모든 약제들이 언론, 즉 대중의 입방아의 소재가 되는 일은 마냥 바람직한 일이 아니다. 어떤 병에 새로운 치료제가 나와 이제 곧 그 병은 정복될 것이라는 장밋빛 희망으로 가득 찬 보도나 기사를 종종 접하게 된다. 이와 반대로 마취에 사용하는 약제들이 대중에게 알려지고 언론에 주목을 받는다면 이는 장밋빛 희망으로 가득 찬 좋은 내용이 아닌 십중팔구 악마의 속삭임에 넘어간 범죄와 관련 있는 내용이다. 마취통증의학과 의사가 주로 사용하는 약제들은 같은 운명을 가지고 있는 것 같다. 마취통증의학과 의사가 환자와 시술이나 수술하는 의사가 알아주지 않더라도 묵묵하게 음지에서 환자를 돌보는 것과 유사하다. 마취통증의학과 의사가 주로 사용하는 마취 관련 약제들은 항상 잘 관리되어 절대 언론에 노출되지 않도록 해야 한다. 마취에 사용하는 거의 모든 약제들은 항상 법의 테두리에서 오용이나 남용되지 않도록 철저하게 관리된다. 이는 만약 오용이나 남용되면 생명을 잃을 수 있는 큰 사고로 이어지거나 중독 등의 사회 문제를 일으키기 쉽기 때문이다. 미국에서는 마약 제제를 생산하는 제약회사에게 천문학적인 금액의 배상을 평결한 일이 있었다. 해당 제약회사는 마약 제제의 진통 효과에 대한 장점만을 부각하여 홍보하고 중독 및 호흡 억제 등 치명적인 문제에 대해서는 올바르게 홍보하지 않았던 것이다. 이와 같은 평결은 제약회사의 '사회적인 책무'에 대한 문제를 지적했다고 할 수 있다.

22
신경근차단제

깊은 숲속에서 얼굴에 문신이 가득하고 아랫도리만 가린 원주민이 수풀 속에 숨어 한가롭게 풀을 뜯어 먹고 있는 영양 한 마리를 노려보고 있다. 바람이 부는 방향을 확인하고 철저하게 모습을 숨긴 채 좀 더 영양에게 접근한다. 영양은 잠시 뒤에 자신에게 닥칠 운명을 전혀 예상하지 못한 채 자신의 긴 목을 땅에 박고 만찬을 즐기고 있다. 이제 원주민이 줄곧 손에 들고 있던 긴 대롱의 한쪽 끝부분을 입에 가져다댄다. 천천히 코로 길게 숨을 들이마신 후 있는 힘껏 입으로 내뱉는다. 그러자 뾰족한 무언가가 바람을 가르더니 '퍽' 소리를 내며 영양의 목에 꽂힌다. 이에 놀란 영양은 부리나케 뛰기 시작한다. 이제 원주민은 숨어 있지 않고 수풀 속에서 일어나 도망치듯 뛰어가는 영양을 주시하고 있다. 영양은 얼마 뛰지 못하고 이상하게 맥없이 푹 쓰러진다. 영화나 다큐멘터리에서 커다란 덩치를 가진 팔팔했던 영양이 독침 한 방에 쓰러지고 가느다란 식물

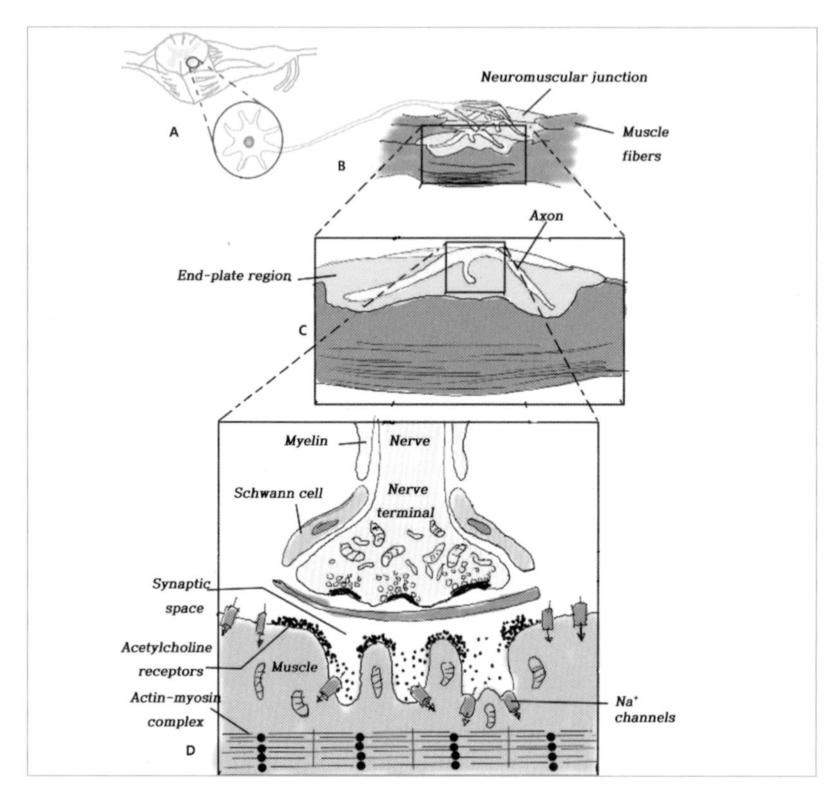

[그림 32] 신경근접합부(neuromuscular junction)

신경과 근육이 아세틸콜린(acetylcholine)이라는 물질을 통해 서로 신호를 주고받는 곳이 신경근접합부(neuromuscular junction)이다. 근육 수축이라는 뇌의 명령을 받은 신경이 신경근접합부에서 아세틸콜린을 통해 근육에게 알려주게 된다. 신경근차단제는 이 과정을 제어하여 근육을 이완시키게 된다. 신경근차단제와 달리 근육이완제는 근육 자체에 작용을 하여 효과를 나타나게 되며 일반적으로 그 효과가 신경근차단제에 비해 약하다.

줄기에 묶여 있는 장면을 본 적이 있을 것이다. 이 독침의 정체가 바로 신경근차단제이다.

근육이 움직이는 과정을 살펴보면, 먼저 뇌에서 움직이라는 신호를 보내게 되고 이 신호가 신경을 통해 근육으로 전달되어 이루어지게 된다. 이와 같이 신경과 근육이 움직이라는 뇌의 신호를 주고받는 곳이 존재하게 되는데 이를 '신경근접합부'라 하며, 움직이라는 뇌의 신호는 아세틸콜린(acetylcholine)이라는 물질이 담당한다. 뇌가 움직이라는 신호를 신경을 통해 보내면 아세틸콜린이 신경의 말단에서 분비되고 이 분비된 아세틸콜린을 근육에서 받아들여 뇌의 명령을 수행하게 되는 것이다. 이 과정에서 신경근차단제는 신경근접합부에서 신경이 아세틸콜린을 분비하는 것을 방해하거나 근육이 아세틸콜린을 받아들이는 과정을 억제하여 그 효과를 나타낸다. 신경근차단제는 마취의 제4 요소인 운동 차단을 담당한다.

처음 마취가 도입되었을 때는 운동 차단이라는 것이 마취의 필수 요소라고 생각하지 않았다. 하지만 운동 차단은 이제 시술이나 수술하는 의사 입장에서 마취통증의학과 의사의 실력 가늠하는 척도가 될 정도로 중요하게 생각되고 있다. 시술이나 수술하는 입장에서 환자를 편안하고 안전하게 재워 주는 것은 마취통증의학과 의사의 당연한 업무이고 시술이며, 수술을 더욱 편안하게 수행하기 위해 근육을 좀 더 이완해 달라는 요구를 하게 된다는 것이다. 미세한 움직임에도 시술이나 수술의 결과가 달라질 수 있는 경우에는 근육 이완의 정도가 더욱 중요하다. 현미경을 보고 혈관을 잇는 수술에서 조그마한 떨림이 생기는 경우 혈관을 손상시켜 수술 결과에 큰 악영향을 미칠 수 있게 된다. 마취 중 감시 장치에 신경근 감시 장치가 필수 장비로 포함되어 있어 이를 통해 마취통증의학과 의사가 근육 이완의 정도를 판단하고 조절하지만 근육에 따라 신경근차단제에 대한 효과가 달라 근육 이완의 정도를 조절하기가 어려울 수 있다. 예를 들어 정형외과에서 팔이나 다리 수술을 할 때 수술 부위 근육에 직접 신경근 감시 장치를 부착하여 사용하면 좋겠지만 이는 감염 등의 위험이 있어 시행할 수 없고 다른 부위에서 감시하여 수술 부위의 근육 이완의 정도를 예측하게 된다. 신경근차단제를 많이 사용해 근육 이완의 정도를 높인다면 시술이나 수술 환경이 좀 더 개선될 수 있다. 하지만 신경근차단제가 아세틸콜린의 분비 및 흡수에 영향을 미치는 약제인 까닭에 아세틸콜린에 의해 조절되는 자율신경 계통도 신경근차단제에 의해 영향을 받을 수 있어 주의해야 한다. 게다가 수술 중 신경 손상을 최소화하기 위해 신경의 위치를 파악하기도 하는데, 이때 신경을 확인하는 방법이 신경을 자극해 근육이 움직이는 것을 보는 것이므로 신경근차단제로 근육을 완전히 이완한다면 신경을 확인하는 것이 불가능하게 된다. 이래저래 적절한 신경근차단제의 사용은 쉽지 않다. 마취통증의학과 의사 입장에서 환자가 마취에서 깨어나지 않는다는 것은 단지 의식만을 뜻하지 않는다. 전신마취에서 신경근차단제를 사용하면 호흡 근육도 마비되어 환자의 호흡은 없어지고 대신 마취통증의학과 의사 또는 기계에 의해 조절하게 된다. 이러한 조절 호흡을 위해 기관내삽관(endotracheal intubation)을 시행해서 관(튜브)을 기도에 삽입하게 되고, 수술이 종료되면 신경근차단제의 효과를 역전하는 약제를 투여하여 다시 환자의 자발 호흡을 회복시켜 기도에 삽입된 관(튜브)을 제거하게 된다.

마취통증의학과 의사에게 마취의 회복은 의식과 함께 호흡의 회복이다. 생명이라는 것이 숨을 불어넣음으로써 시작되는 것처럼 환자의 숨을 사그라뜨렸다가 다시 환자가 스스로 숨을 쉴 수 있게 만드는 신경근차단제의 역전은 항상 긴장되는 순간이다. 신경근차단제의 효과가 남아 있든지 또는 수술에 따른 통증 등 여러 이유로 인해 자발 호흡이 돌아오지 않아 기도에 삽입되어 있는 관(튜브)을 뽑지 못한다면 중환자실로 환자를 이송하여 원인을 찾아 해결하고 관(튜브)을 제거할 때까지 마취통증의학과 의사의 일은 끝난 것이 아니다. 폐가 좋지 않거나 고령의 환자에서 전신마취 후 의식은 돌아왔지만 자발 호흡이 충분히 돌아오지 않아 중환자실로 이송하여 치료를 계속할 수밖에 없는 경우가 종종 발생한다. 기도에 관(튜브)이 삽입되어 있다는 것은 그 관(튜브)이 성대의 움직임을 방해하기 때문에 말을 할 수 없게 된다는 것이다. 환자 입장에서 숨을 제대로 쉬지 못하는, 말 그대로 답답함과 말을 하지 못하는 답답함이 동시에 벌어지는 순간이다. 마취 전에 환자의 상태를 파악하고 환자와 보호자에게 충분하게 설명하는 단계를 거치지만 환자와 보호자에게는 쉽게 용납될 수 없는 순간임은 분명하다. 다행스럽게도 최근에는 신경근차단제의 사용으로 없어진 자발 호흡을 신경근차단제의 효과를 거의 완벽히 역전하여 빠르게 다시 자발 호흡할 수 있도록 되돌리는 약제가 개발되어 있다. 그리고 신경근 감시 장치 등도 발달하여 필요 이상의 신경근차단제를 사용하는 것을 미연에 방지하여 그러한 위험은 점차 줄어들고 있다.

보통 근육에 통증이 있을 때는 진통제와 함께 근육이완제를 사용해 발생한 통증을 조절하는 경우가 많다. 여기서 근육이완제와 신경근차단제는 어떤 점에서 차이가 있을까? 근육이완제는 단순하게 근육의 이완을 목적으로 근육 운동에 제한을 주지 않는다. 하지만 신경근차단제는 순전하게 근육의 수축 기능을 저하 또는 없앨 목적으로 사용하게 된다. 이러한 사실을 모르는 미숙한 의료진이 근육 통증이 있는 환자에게 근육이완제인 신경근차단제를 처방해 그 환자의 호흡이 마비되는 사고로까지 이어지는 일이 잊을만하면 한 번씩 발생하여 신경근차단제도 근육 이완을 하는 것이 맞지만 근육이완제라 부르지 않고 신경근차단제라고 명명하게 되었다. 반복해서 하는 이야기이지만 마취통증의학과와 관련된 약제는 잘 쓰면 약이 되지만 잘못 쓰면 치명적인 독이 되므로 반드시 허가받은 사람이 합당한 이유로 적절한 용량을 사용하는 것이 중요하다. "서당 개 3년이면 풍월을 읊는다."는 속담처럼 마취하는 모습을 옆에서 오랫동안 지켜보았으므로 마취할 수 있다는 생각은 꿈에서도 하면 안 된다. 풍월을 읊는 실수를 하면 단순히 웃고 넘어갈 수 있는 일이지만 마취에서 한순간의 실수는 환자와 그 가족 그리고 자신까지 나락으로 빠뜨릴 수 있다. 그래서 최근 마취전문간호사가 전신마취 업무를 수행하겠다고 국회의원을 통해 입법 예고를 하는 어이없는 현실이 참 안타깝다.

신경근차단제가 근육의 이완 기능이 있다면 심장 근육에도 영향을 미쳐 박동을 멈추게 되지 않을까? 우리 몸의 근육은 크게 세 가지 종류로 나누어진다. 나의 의지에 따라 움직이고 싶을 때 움직이는 수의근(voluntary muscle)과 골격근(skeletal muscle) 그리고 나의 의지와 상관없이 움직이는 불수의근(involuntary muscle)이 있다. 그리고 불수의근은 내장에 존재하는 내장근(smooth muscle)과 심장에 존재하는 심장근(cardiac muscle)의 두 가지로 나누어진다. 다행스럽게도 신경근차단제는 골격근에만 작용하게 되어 알레르기(allergic)같은 반응만 일어나지 않는다면 신경근차단제를 사용하더라도 심장 근육이 멈추는 일은 발생하지 않는다. 전지전능한 신께서 인간을 창조하실 때 언젠가는 마취에 신경근차단제가 사용될 것을 알고 인간을 잘 만드신 것인지, 아니면 우연히 신경근차단제가 딱 거기까지 역할을 하는 것인지 새삼 그 신기함에 놀라게 된다.

환자안전 주의경보

신경근 차단제의 잘못된 처방으로 인한 환자안전사고 발생

◆ 환자안전사고 주요내용

신경근 차단제를 기계환기가 필요한 수술이나, 전신마취 이외 목적으로 사용 시 환자에게 중대한 위해가 발생할 우려가 있어 주의 필요

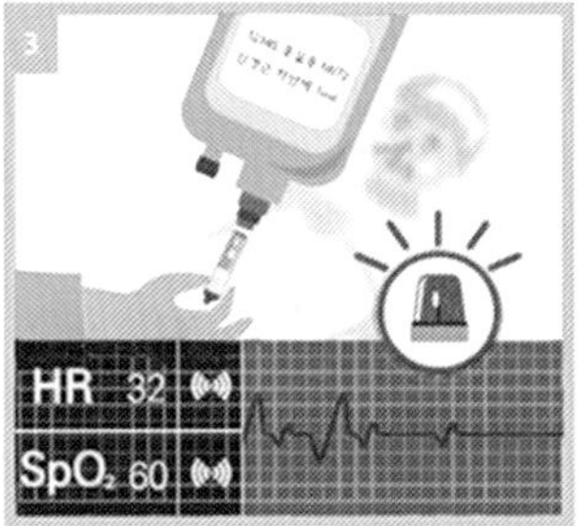

1. 환자가 어깨 걸림 증상으로 근육통 호소하여 의료진이 환자상태 확인함.

▼

2. 근이완제 처방 경험이 부족한 의료인이 약품정보 검색 사이트에서 '근이완제'로 검색하여 검색결과로 나열된 의약품 중 전신마취용 신경근 차단제를 처방하여 투여함.

▼

3. 투여 후 환자 심정지 발생하여 심폐소생술 시행하였으나 사망함.

위 자료를 인용하여 보도할 경우에는 출처를 표기하여 주시기 바랍니다.

1/4

[그림 33] 신경근차단제와 근이완제
KOPS 한국환자안전보고학습시스템

신경근차단제와 근육이완제는 둘 다 근육 이완의 효과를 갖고 있다 하더라도 사용되는 경우가 다르다는 것을 꼭 명심해야 한다.

국소마취 약제

무협 소설의 액션 장면에서 무림 고수가 상대방의 어느 혈도*를 찍어 팔이나 다리에 마비를 유발하는 장면을 볼 수 있다. 여기에 추가하여 통증까지 없애는 혈도를 찍어 봉할 수 있다면 마비된 팔이나 다리의 문제 부위를 수술할 수 있을 것이다. 실제로는 찾아보기 어려운 무림의 세계에 존재하는 장면이지만 이를 현실화하여 가능하게 하는 것이 국소마취 약제이다.

사람의 몸에 어떤 자극이 들어오면 신경을 통해 뇌로 전달되고 뇌는 이 자극을 분석하여 다시 신경을 통해 적절한 반응을 하게 만든다. 이와 같이 신경을 통해 자극이 들어오고 반응을 하게 되는 것은 모두 전기적인 신호를 통해 이루어지며 국소마취 약제는 이러한 신경에서 일어나는

* 기가 흐르는 통로

전기적인 신호를 제한하여 그 효과를 나타낸다. 국소마취 약제는 신경 주위에 투여되어 그 신경이 분포하는 피부 및 근육 등의 감각과 운동을 차단하게 된다.

국소마취 약제를 투여하여 마취하는 부위마취는 여러 가지 이점이 있다. 무엇보다 전신마취와 비교하면 환자에게 진정이나 최면 없이 진통 효과를 얻을 수 있다. 그리고 환자와 보호자 입장에서는 자고 깨어나야 되는 전신마취라는 용어에서 느껴지는 부정적인 면을 불식시킬 수 있다. 사실 이러한 이유에서 잠시만 자고 일어나는 수면마취라는 용어가 생겨났을 것이다.

그렇지만 마취통증의학과 의사 입장에서는 부위마취가 전신마취에 비해 훨씬 더 신경이 쓰이는 처치이다. 그 이유는 다음과 같다.

첫 번째로 부위마취는 불완전한 마취가 될 가능성을 항상 내포하고 있다. 사람마다 신경 분포 등이 달라 실력이 뛰어난 마취통증의학과 의사가 교과서대로 국소마취 약제를 투여했더라도 해부학적인 변이가 있는 환자에서는 부위마취가 불완전하거나 실패할 수 있다.

두 번째로 부위마취의 성공은 마취통증의학과 의사가 혼자 오롯이 달성하는 것이 아니다. 부위마취로 수술하는 부위만 마취가 되었더라도 환자는 의식이 있어 수술 부위를 제외하고 움직일 수 있다. 시술이나 수술 시에 움직이지 않는 것이 시술이나 수술하는 의사에게는 좋은 환경을 제공하는 것이 확실하다. 이를 위해 부위마취에서는 환자가 움직이지 않고 계속 같은 자세를 유지하는 협조가 필요하다.

세 번째로 부위마취의 성공을 위해서는 시술이나 수술하는 의사의 도움도 필수적으로 요구된다. 시술이나 수술을 계획할 때 불완전한 부위마취에도 환자의 움직임이 어느 정도 있을 것을 예상하고 이를 감내할 수 있는 시술이나 수술에서 마취통증의학과 의사와 협의하여 부위마취를 요구해야 하는 것이다. 국소마취 약제의 투여 목표가 되는 신경 주위에는 항상 혈관들이 존재한다. 국소마취 약제가 혈액으로 들어가면 뇌와 심장에 치명적인 결과를 초래하기도 한다. 최근에는 부위마취를 시행할 때 영상 장비의 도움을 받아 시행하는 까닭에 좀 더 안전하게 시행할 수 있게 되었지만 정확한 위치에 바늘을 넣어 국소마취 약제를 투여하더라도 투여 과정에서 혈관으로 국소마취 약제가 스며들어가는 경우는 항상 존재한다.

이와 같이 이런저런 이유로 국소마취 약제를 사용하는 부위마취에 대해 항상 마취통증의학과 의사는 신중할 수밖에 없다. 사실 부위마취를 모든 환자에게 시술할 수 있는 것은 아니다. 기본적으로 부위마취는 바늘을 사용하여 국소마취 약제를 투여하는 것이기 때문에 투여해야 되는 곳에 감염이 있든지 항응고 약제를 복용하는 등 주사를 찔렀을 때 피가 많이 날 수 있는 환자, 마취와 수술 중의 협조가 불가능한 환자 등에서는 시행할 수 없는 것이다. 전신마취 후 호흡이 억제되어 마취 후 회복 과정에서 문제가 있을 수 있는 호흡기 질환이 있는 환자나 노인 환자에서는 부위마취가 유일한 선택처럼 보이기도 한다. 실제 다리가 부러진 호흡기 질환 환자나 노인 환자에서 정형외과 의사에 의해 또는 환자나 보호자에 의해 부위마취 요청을 받는 경우도 있다. 하지만 이는 정답이 아니다.

대개 호흡기 질환이나 노인 환자에서 부위마취가 선호되는 것은 사실이지만 부위마취를 하더라도 호흡 억제가 전혀 일어나지 않는 것은 아니다. 환자가 일어나 본인 다리로 걷지 않고 침대에 누워만 있으면 호흡은 나빠진다. 보통 다리 수술을 위해 부위마취로 척추마취나 경막외마취를 시행하게 된다. 이는 국소마취 약제를 말초신경이 아닌 척수 자체에 투여하게 되며 한쪽 다리를 수술하더라도 한쪽 다리만 마취하는 것이 아닌 하반신 전체를 마취하게 된다. 이때 마취 범위는 수술할 때 피부절개(skin incision)를 내는 부위에 국한되지 않고 훨씬 윗부분까지 마취가 되어야 수술 과정에서 생길 수 있는 주변 근육 조작 등을 할 때 통증 및 불편함이 없이 수술을 시행할 수 있다.

예를 들어 고관절을 수술할 때 고관절에 붙어 있는 근육 조작이 동반될 수 있고 이를 위해 고관절 아래 부위만 마취하는 것이 아닌 좀 더 위쪽인 옆구리 쪽 근육 일부가 마취 시에 포함되어야 된다. 호흡에서 숨을 들이마시는 것도 중요하지만 폐에 가라앉아 있는 가래 등을 잘 배출하기 위해서는 의도적으로 숨을 힘차게 내뱉을 수 있어야 한다. 이를 위해 평상시 숨을 들이마시고 내쉴 때 쓰는 호흡 관련 근육 외 복근 등의 사용*이 필수이며 옆구리까지 마취된다는 것은 이 복근 일부까지 마취됨을 의미한다. 다시 말하면 부위마취를 시행함에도 불구하고 가래 등을 배출하는 데에 지장이 생기는 것은 불가피하며 이는 호흡 기능의 저하가 동반된다는 것이다.

개인적으로 정말 기저 질환을 많이 가지고 있고 좋지 않은 환자인 경우에는 부위마취보다 전신마취를 더 선호한다. 그 이유는 다음과 같다. 첫 번째는 마취 약제 및 감시 장치 등이 예전보다 훨씬 좋아져 앞서 언급한 호흡 기능 관련 이야기처럼 부위마취가 가지고 있던 장점들이 더 이상

* 강한 기침을 해 보면 복근의 수축이 동반됨을 확인할 수 있음

전신마취에 비해 훨씬 월등하지 않다는 점이다. 두 번째는 아무리 마취통증의학과 의사가 부위마취를 완벽하게 시행하더라도 항상 불완전한 마취의 가능성은 존재하고 이러한 일이 실제로 일어나면 결국 전신마취를 선택할 수밖에 없게 된다. 그래서 결국 환자는 부위마취를 위한 국소마취 약제와 전신마취를 위한 마취 약제에 모두 노출될 수 있는 위험을 내포하고 있기 때문이다. 세 번째는 시술이나 수술하는 의사가 수술 중 불편을 호소하거나 환자의 협조를 기대할 수 없는 상황이 발생하는 경우에는 결국 추가 마취 약제들을 사용하게 된다. 이는 결국 부위마취를 했음에도 불구하고 전신마취 상황으로 가게 되는 것이다. 따라서 처음부터 전신마취를 선택하는 것이 좋다고 볼 수 있다. 더불어 시술이나 수술 중에 응급 상황이 벌어지는 경우 처치에 있어 한 가지라도 부담되는 요인을 제거하기 위해서이다. 예를 들어 부위마취 상태에서 다리 수술을 진행하고 있는 도중에 갑자기 출혈이 있어 급작스럽게 수혈하는 등 여러 응급조치가 이루어져야 하는 상황에서 의식이 깨어 있는 환자에게 일일이 설명하며 조치하는 것은 환자에게 불안감을 야기할 수 있고, 시술이나 수술하는 의사 역시 안정감을 잃을 수 있으며 마취통증의학과 의사 입장에서도 빠른 조치가 쉽지 않기 때문이다.

신경근차단제는 골격근에서만 효과가 나타나지만 국소마취 약제는 감각신경이나 운동신경에서만 그 효과가 그치지 않는다. 척수에는 감각신경과 운동신경뿐만 아니라 교감신경도 포함되어 있고 척추마취 또는 경막외마취 시에는 이 교감신경까지 차단되어 혈관 확장과 혈압 감소가 동반될 수 있다. 부위마취 시에 교감신경, 감각신경, 운동신경 순으로 국소마취 약제에 민감해서 운동신경이 마비되지 않거나 천천히 마비되어 그러는 동안에 다리를 드는 등 움직일 수 있다 하더라도 감각신경은 이미 마비되어 통증을 느끼지 않을 수 있다. 이러한 상황에서 교감신경 마비는 항상 동반되어 혈압 감소로 이어지므로 환자가 움직일 수 있더라도 주의가 필요하다. 예를 들어 누워 있다가 갑자기 일어서는 등의 행동은 교감신경에 따른 혈압 감소로 충분하게 뇌로 혈류가 가지 않는 상황으로 현기증 등이 유발될 수 있다. 통증 클리닉(pain clinic)에서 통증 조절을 위해 국소마취 약제로 신경 차단을 시행하면 환자에게 잠시라도 누워 안정을 취하게 한다. 이는 신경 차단과 함께 교감신경 차단 시에 발생하는 혈압 감소로 인한 안전사고를 방지하기 위한 것이다. 이와 같이 국소마취 약제를 통한 부위마취는 전신마취에 비해 많은 장점을 가지고 있다. 그렇지만 시술이나 수술을 시행하는 의사 그리고 환자의 충분한 이해와 협조가 전제되지 않는 경우 그 장점은 발현되지 않고 오히려 독으로 작용할 수 있음을 인식하고 있어야 한다.

전신마취 과정

오늘밤이 지나면 수술을 한다. 수술 전날이라 수술 과정과 수술 후 생길 수 있는 합병증 그리고 그 후의 치료와 마취에 대한 이야기들에 대해 자세히 설명을 들었지만 아직 왜 수술을 받아야 하는지조차 정확히 모르고 있다. 좀 더 확인해 보아야 하는데 놓친 것이 있지는 않은지 여러 의문들이 머릿속에서 실타래처럼 얽혀 있다. 그동안 납입해 놓은 보험금이 있으므로 병원비는 문제가 없을 것이라고 짐작해 본다. 지금 진행하고 있는 업무들과 내가 자리를 비운 동안 가족들의 생활 등 여러 생각들이 계속 떠오르게 되어 혼란스럽다. 우선, 건강을 되찾고 보자고 다짐해 보지만 마음속은 여전히 편하지가 않다.

수술 당일이다. 이런저런 걱정들이 꼬리에 꼬리를 물며 늦게까지 잠이 들지 못했다. 어차피 마취하면 자게 될 터이니 상관없을 것이다. 머릿속은 더 복잡할 뿐이다. 냉수라도 한 잔 시원하게 마시고 싶지만 수술 때문에 금식인 까닭에 그러지도 못한다. 새벽에 간호사가 오더니 굵은 바늘을 팔에 밀어 넣었다. 이렇게 굵은 주사가 왜 필요한지를 물어보았더니 수술할 때 급하면 수혈 등을 할 수도 있어 굵은 바늘이 꼭 필요하다고 한다. 덜컹 겁이 났다. 수술실로 가기 전에 화장실을 다녀왔다. 긴장해서 그런지 오줌조차 나오지 않는다. 눈곱이라도 떼려고 거울을 바라보았더니 하룻밤 사이에 부쩍 자란 수염과 함께 수척해진 낯선 인물이 거울에 비치며 나를 바라보고 있다. 다행히 아침 첫 수술이라 7시 30분에 침대에 누워 수술실로 내려갔다. 내려가기 전에 아이들과 전화 통화를 하고 아내와 함께 수술실로 향했다. 수술실 입구에서 아내가 손을 꼭 잡아 주고 따뜻한 손으로 내 뺨을 어루만진다. 특별히 내색은 하지 않지만 아내 얼굴에 근심이 한가득하다. 아내를 뒤로하고 수술실 입구로 들어섰더니 나처럼 침대에 누워 있는 사람들이 자기 차례를 기다리고 있었다. 수술 모자와 마스크를 착용한 간호사 한 명이 다가와 내 이름을 확인하고 이것저것을 물어본다. 그러더니 어제 만났던 주치의가 내게 다가온다. "잠은 잘 잤나요?"라는 짧은 인사와 함께 타고 온 침대를 밀고 어디론가 들어간다. 수술실 복도의 천장을 바라보다 눈을 찔끔 감아 본다.

누군가 내 이름을 부른다. 수술실 입구와 마찬가지로 내 이름이며 나를 수술하는 교수 이름 등 여러 가지를 다시 확인하고 옆에 있는 수술 침대로 옮겨가라고 한다. '이제 정말 수술을 시작하는구나.'라고 생각할 즈음 마취하는 동안 몸 상태를 감시하는 장치라며 몸에 이것저것을 붙이기 시작했다. 따뜻한 목소리이지만 무슨 말을 하는지 집중이 되지 않았다. 두 눈을 감고 잘 찾지는 않았지만 지푸라기도 잡는 심정으로 하느님을 부르며 기도하기 시작했다. 이제 마취를 시작한다는 소리가 들렸다. 차분하게 가라앉아 있었는데 긴장하며 가슴이 갑작스럽게 요동치기 시작하는 것 같았다. 주사가 조금 아플 수 있다는 소리가 들리더니 ....

63세 남자 환자이고 건강 검진에서 발견된 위선암(gastric adenocarcinoma) 진단 하에 오늘 복강경 위절제술(laparoscopic gastrectomy)을 한다. 오늘 첫 환자이다. 기저 질환도 없고 수술 전 검사도 특별한 것이 없다. 정맥 마취 약제인 프로포폴(propofol)로 마취를 유도하고 흡입마취 약제인 세보플루란(sevoflurane)으로 마취를 유지할 생각이다. 수술 중 통증은 마약 제제인 레미펜타닐(remifentanil)을 사용해 조절할 생각이다. 운동 차단은 신경근차단제인 로쿠로늄(rocuronium)을 사용하고 나중에 수가마덱스(sugammadex)를 사용해 역전하면 될 것이다. 교수님께 마취 계획에 대해 보고하고 수술실에 들어선다. 외과 주치의가 환자를 모셔온다. 타임아웃(Time-out)을 하고 환자를 수술 침대로 옮겼다. 환자의 긴장을 풀기 위해 이런저런 농담을 던져 보았지만 환자는 대답이 없다. 산소포화도측정기(pulse oximeter)를 시작으로 비침습적 혈압계, 심전도, BIS*(bispectral index), 그리고 신경근 감시 장치까지 환자에게 부착했다. 수액이 잘 들어가는 것도 확인했다. 어제 환자를 면담했을 때 치아와 함께 기도 관리에 문제가 없는 것도 확인했다. 환자의 심장수술 비용보다 기관내삽관(endotracheal intubation) 과정에서 치아 손상으로 병원에서 물어 주는 비용이 훨씬 비싸다는 흉부외과 교수님의 엄포 이후 삽관 시에 치아 손상이 생기지는 않을까 더 조심스럽다. 다시 한 번 환자의 치아를 확인해 본다.

* 마취 심도 감시 장치 중의 하나로 그 수치가 40~60이면 적정 전신 마취 심도를 나타냄

교수님과 함께 마취를 시작한다. 환자의 얼굴에 산소가 흘러나오는 마스크를 들이대고 깊게 숨을 쉬라고 말을 걸어 본다. 환자의 얼굴에 밀착된 마스크에 김이 서린다. 프로포폴을 주사할 때 주입되는 혈관에 발생하는 통증을 줄이기 위해 리도카인(lidocaine)을 주고 프로포폴을 주사한다. 환자가 잠이 든 것을 BIS 수치를 보며 다시 확인한다. 프로포폴 약효가 떨어지기 전에 기화기를 틀어 세보플루란을 투여해 마취 심도를 유지한다. 신경근차단제를 투여하더라도 기도 관리에 문제가 없음을 확인한 뒤에 신경근차단제인 로쿠로늄을 투여하고 통증 및 반사 조절을 위해 레미펜타닐을 투여한다. 환자가 긴장한 탓인지 고혈압도 없는 환자의 혈압이 마취 시작할 때 조금 높았지만 이제 모든 것이 정상으로 잘 조절되고 있다. 로쿠로늄으로 없어진 환자의 호흡도 내 손에서 문제없이 조절되고 있다. BIS = 45, 마취 심도도 적절하고 근육도 완벽하게 이완되었음을 신경근 감시 장치로 확인한다. 자극에 의해 환자의 혈압이 높아지지 않도록 조심스럽게 환자의 입을 벌려 기관내삽관을 시행하고 기관내삽관 위치를 확인한 뒤에 환자에게 고정한다. 이제 내 손이 하던 환기를 인공호흡기(ventilator)에게 전달한다. 모든 것이 완벽하다. 마취 유도가 다 되었음을 외과 주치의에게 알린다. 외과 주치의는 수술 준비를 시작한다. 이제 마취 감시 장치를 보며 환자의 상태를 감시하면 된다. 특별한 문제없이 수술이 잘 끝나기를 기도해 본다. 수술하는 중간 중간 환자의 근육이 빨리 회복되어 다른 환자보다 신경근차단제가 많이 들어가 호흡이 조금 늦게 돌아올 것으로 예상되지만 특별하게 문제 될 일은 없어 보인다. 외과 주치의가 수술 부위를 소독하기 시작한다.

이제 환자를 마취에서 깨워 볼까? 수술 후 통증을 줄이기 위해 미리 진통제를 투여하고 환자에게 들어가던 세보플루란과 레미펜타닐을 서서히 줄이기 시작하니 BIS 수치가 올라가기 시작한다. 신경근 감시 장치에서 보여 주는 근육 이완 상태로 의외로 빨리 회복하고 있다. 이제 기관내삽관을 제거하고 환자의 자발 호흡으로 돌려도 될 정도로 근육이 회복된 것을 신경근 감시 장치를 통해 확인한다. 세보플루란과 레미펜타닐 투여를 완전히 정지하고 근육 회복을 위해 슈가마덱스를 투여한다. 이제 인공호흡기로 조절되는 환자의 호흡을 다시 내가 도맡는다. 환자가 거의 깼음을 BIS 수치 90으로 확인한다. 환자의 이름을 부르며 숨을 크게 쉬라고 말을 건넨다. 환자는 아직 의식이 완벽하게 돌아오지는 않았지만 어제 환자 면담에서 알려준 대로 목에 이물이 있는 것에 당황하지 않고 호흡을 천천히 가다듬는다. 신호와 함께 치아가 다치지 않게 기관내삽관을 조심스럽게 제거하고 환자의 얼굴에 마스크를 통해 산소를 공급한다. 마취 중 감시 장치를 제거하고 환자를 회복실로 이송한다. 회복실에서 환자의 안전을 위해 확인할 감시 장치가 부착되는 동안 환자의 상태를 다시 한 번 확인한다.

눈을 뜨니 병실에 와 있다. 수술실에서 누군가 아플 것이라고 말해 주었고 뭔가 몸에 들어가는 느낌이 들었던 기억이 난다. 그리고 주사 맞은 부위가 타들어가는 듯한 느낌이 살짝 있었고, 그 이후에는 잘 기억나지 않는다. 누군가 내 이름을 불렀던 것도 같다.

25
팔방미인이 되어야 하는 마취통증의학과

의과대학 시절 염두에 두었던 전공과목은 내과, 그중에서 심장혈관내과였다. 내과 계열과 외과 계열 중에서 내과 계열이 적성에 맞는 일이라고 생각했고 내과의 꽃은 심장혈관내과라고 여겼기 때문에 그러한 생각을 했던 것 같다. 그러다가 인턴 기간의 중반 즈음에 마취통증의학과가 시선에 들어오며 마음이 바뀌었다. 그 밖에도 여러 가지 이유가 있었지만 지금은 그러한 이유가 희미해진지 오래이다. 그 소식을 듣고 오히려 주변 사람들이 분주해졌다. 친하게 지내던 내과 선배들은 내 마음을 돌려놓기 위해 며칠에 걸쳐 의논하자며 면담을 이어갔고 이 소식을 들은 내과 교수님 몇 분까지 면담을 했었다. 이전부터 함께 내과에 지원하자고 도모했던 형은 마음이 상해 한동안 난감했던 기억이 있다. 당시에 마취통증의학과는 몇 년째 계속 미달될 정도로 인기가 없는 과 중의 하나였다. 실제로 바로 위 연차 선생님이 없다. 공부를 잘했던 아들이 의사가 하는 일인지도 몰랐던 마취를 전공하겠다고 하니 아버지께서 모교 아닌 다른 병원에서 마취통증의학과 아닌 다른 과를 해 보는 것은 어떠냐며 권유하시기도 했다. 인턴의 휴가는 여름휴가 일주일밖에 없었던 시절임에도 근무하고 있는 과에 부탁하여 대구까지 내려가 부모님께 마취통증의학과를 하고 싶은 이유와 상황을 직접 말씀드리며 이해를 구했었다. 그리하여 원하던 마취통증의학과 의사의 길에 들어서게 되었다.

전신마취를 받는 환자는 마취통증의학과 의사를 수술실에서 처음 만나지 않는다. 시술이나 수술이 결정되면 환자는 기본적인 몸 상태를 알아보기 위한 검사를 시행하게 되고 마취통증의학과 의사에게 마취 의뢰가 맡겨진다. 마취통증의학과 의사는 환자의 검사 결과와 기저 질환을 종합적으로 검토하여 현재 상태에서 시술이나 수술을 위한 마취 계획을 세우게 된다. 마취 계획을 세우려면 마취통증의학과 의사는 세 가지 분야를 모두 알고 있어야 한다. 첫 번째는 당연히 마취에 대한 전문가가 되어야 한다. 이는 마취에 대한 지식과 마취 과정에서 행해지는 시술까지 포함하는 이야기이다. 두 번째는 환자의 기저 질환에 대해 알아야 되므로 해당 질환에 대한 충분한 이해가 필요하다. 세 번째는 환자가 가지고 있는 진단에 대한 이해와 더불어 환자가 받을 시술이나 수술에 대한 전반적인 이해가 필요하다. 애스틀리 쿠퍼(Astley Paston Cooper, 영국, 1768년~1841년)는 마취가 도입되기 전에 외과 의사의 덕목에 대해 "훌륭한 외과 의사는 독수리의 눈, 사자의 심장, 그리고 숙녀의 손을 가지고 있어야 한다.(A good surgeon must have eagle's eyes, lion's heart and lady's hands.)"라고 이야기했다. 이와 마찬가지로 이 세 가지가 마취통증의학과 의사의 필수

덕목이라고 할 수 있다.

전공의 1년 차 시기에 마취도 아직 모르는 상태에서 환자를 만난다는 현실에 이런저런 걱정이 많았다. 환자의 상태에 대해 충분히 이해하지 못해 환자에게 최선의 진료를 하지 못할지도 모른다는 두려움이 있었던 것이다. 자신이 얼마나 무식한지 스스로 반문하며 환자 앞에서 시술이나 수술하는 의사 앞에서 부끄럽지 않기 위해 공부에 진력을 다했다. 사실 환자의 기저 질환을 아는 것은 의학의 전 분야에 대한 이해가 필요하다는 말과 같은 이야기가 된다. 환자가 고혈압을 가지고 있을 수도 있고 당뇨병을 가지고 있을 수도 있다. 그렇다면 마취통증의학과 의사는 고혈압에 대해 알아야 하고 당뇨병에 대해 알아야 된다는 이야기가 된다. 모든 질환에 대해 다 잘 알고 있어야 된다는 것은 사실 말도 안 되는 이야기이다. 그래서 특정 질환만을 맡아 보는 세부 분야가 존재하고 해당 전문가가 따로 있는 것이다. 맞는 말이다. 현실적으로 이러한 질환에 대해 세부적으로 모두 다 잘 알 수는 없다.

하지만 전반적인 이해가 요구된다는 것이다. 시술이나 수술하는 의사가 A라는 특정 질환이 있는 환자에 대해 마취를 의뢰하게 된다. 이때 A에 대해 A만을 전문적으로 진료해 온 의사가 가장 잘 알고 치료하겠지만 마취에 따른 마취와 A에 대한 상호 작용에 대해서는 마취통증의학과 의사가 A에 대한 이해를 바탕으로 마취와 함께 A에 대한 처치를 동시에 해야 된다. 환자를 마취한 뒤에 시술이나 수술을 하는 의사가 병소에 집중하고 있을 때 A에 대한 치료는 전적으로 마취통증의학과 의사의 판단에 달려 있게 되는 것이다. 마취통증의학과 의사의 시술이나 수술에 대한 이해는 시술이나 수술을 시행하는 의사에게 든든한 조력자 역할을 하게 된다.

병소에 집중하여 외로운 싸움을 하는 의사 입장에서 어떤 문제에 봉착하게 되면 환자의 상태를 알고 마취를 진행하는 마취통증의학과 의사의 조언에 따라 계속 시술이나 수술을 진행하거나 또 다른 해결책을 찾아볼 수도 있다. 때로는 마취통증의학과 의사가 시술이나 수술에 대한 평가를 직접 내리기도 한다. 예를 들어, 심장 판막 질환을 가진 환자를 흉부외과 의사가 심장을 멈추고 그 기능에 문제가 있는 판막을 성형하거나 치환하게 하면 다시 심장이 뛸 때 마취통증의학과 의사는 그 자리에서 수술의 성공 여부를 판단하여 혹시 문제가 있으면 다시 수술하는 것을 권하기도 한다.

내과 분야이든지 외과 분야이든지 일명 '명의'가 존재한다. 외과에서 말하는 명의는 분명 수술을 잘하는 분일 것이다. 그렇다면 그 명의는 의사가 되자마자 수술을 잘하게 되지는 않았을 것이다. 아무리 손재주를 타고나더라도 오랜 시간 수술의 경험이 쌓여 단련되었을 것이다. 명의라는 훈장은 그동안 그가 진료해 온 환자들의 결과물이다. 특히, 외과 분야에서 명의는 수술하는 동안 마취를 담당하며 묵묵하게 뒤에서 도와주지 않는다면 탄생할 수 없다. 대학병원에서는 보통 젊은 외과 의사가 수술할 때는 자신보다 나이가 많은 교수님들의 수술이 다 끝난 뒤에 시작하게 되는 경우가 많다. 늦은 시간에 아직 수술에 대해 여러 경험이 적은 외과 의사인 탓에 미숙하고 수술 시간 역시 다른 고참 의사에 비해 많이 걸리지만 열정만은 전혀 뒤지지 않는 것을 마취통증의학과 의사는 알고 있다. 젊은 외과 의사가 편안하게 수술에 임하며 수술 방법을 익히고 '대가'라는 타이틀을 달 때까지 마취통증의학과 의사는 환자 곁에서 열정적인 그의 성장을 지켜보고 있는 것이다.

B 병원의 외과 분야 C 명의가 D 병원으로 옮겨 또 다른 수술 기록을 내고 있다는 기사를 종종 접하게 된다. 하지만 마취 분야 명의에 대해서는 들어본 적이 없을 것이다. 개인적인 생각이지만 마취 분야의 명의는 개별 병원에서 시술이나 수술하는 의사에게 직접 물어보아야 알 수 있을 것이다. 마취 관련 지식과 기술이 얼마나 심도 있는지, 시술이나 수술하는 의사가 편안하게 집도할 수 있도록 지원하는 능력이 얼마나 노련한지, 시술이나 수술 중에 예상하지 못한 사고가 발생했을 때 해당 병원의 상황에서 최선의 조치를 취해 환자의 안전을 지켜 낼 수 있는지 등이 마취 분야의 명의를 판가름할 것이다.

어떤 병원에 시술이나 수술을 잘하는 의사가 정말 해당 시술이나 수술을 잘하는지 알기 위해서는 같은 분야의 의사에게 묻지 말고 그 병원의 마취통증의학과 의사에게 물어보는 것이 좋다는 진담이 섞인 우스갯소리가 있다. 같은 분야의 의사는 해당 의사의 실력을 학술대회 등에서 발표하는 실적을 보며 알게 된다. 하지만 마취통증의학과 의사는 시술이나 수술하는 의사 옆에서 항상 지켜보며 그 실력을 확인할 수 있기 때문이다. 의사는 직업상 항상 환자와 함께하므로 제대로 휴식할 수가 없다. 항상 환자의 상태에 대한 보고를 받고 조치를 위해 대기해야 하므로 의사에게 휴대 전화기는 문명의 이기가 아니라 구속 기기로 역할을 한다. 시술이나 수술하는 의사에게 있어 시술이나 수술하는 시간은 환자는 잠이 들고 환자 관련 여러 호출에서도 잠시 벗어나 시술이나 수술에 집중하기만 하면 되므로 어쩌면 일과 시간 중에서 가장 자유로운 시간일 수 있다. 그래서 종종 시술이나 수술을 집도하며 사적인 이야기까지 오가기도 한다. 시술이나 수술하는 의사가 편안하다는 것은 그 의사가 최고의 실력을 발휘할 수 있고 이는 시술이나 수술의 결과로 환자에게 직접적인 영향을 미친다고 할 수 있다.

26

소가 문제인가, 흡입마취 약제가 문제인가

함께 사는 지구, 탄소 중립 실천 등 지구 환경 개선에 대한 노력이 곳곳에서 진행 중에 있다. 2021년 신축년 새해 하얀 소의 해를 맞이하여 소의 억울함을 풀어 달라는 국민 청원이 어느 포털 사이트에 올라왔다. 소의 트림과 방귀에서 나오는 메탄가스(methane)가 온실 효과(greenhouse effect)의 주요 원인은 맞지만 소가 그 주범이 아니므로 그 오명에서 벗어나게 해 달라는 요구였다. 한때 햄버거를 먹지 말자는 불매 운동이 같은 일환으로 전개된 적이 있었다. 햄버거 안에 들어가는 패티(patty)가 쇠고기 등으로 만들어지고 우리가 햄버거를 많이 사 먹으면 수요를 충족하기 위해 지구 온난화의 주범인 소를 더 많이 기르게 되니 햄버거 불매 운동으로 지구를 지키자는 것이었다. 한쪽 측면의 시각을 고수하는 전형적인 논리의 비약이지만 이를 통해 지구 온난화에 대한 관심을 끌어낸 것은 분명하다. 아낌없이 주는 나무처럼 살아서는 노동력과 우유를 제공하고 죽어서는 단백질과 가죽을 남기는 소의 입장에서 살펴보면 자신에게 지구 온난화의 모든 책임을 씌우는 인간의 치사함에 대해 몹시 얄밉고 괘씸함을 느끼게 될 것 같다. 메탄과 이산화탄소는 지구 온난화를 유발하는 주요 원인으로 꼽히고 있다. 이 두 기체는 지구에서 생긴 복사열을 지구 밖 우주로 내보내 열을 방출하는 것을 방해하여 결국 열을 다시 재흡수하게 되어 지구를 뜨겁게 만들고 있다. 지구 온난화를 막기 위해 쓰레기 분리수거, 일회용품 줄이기, 대중교통 이용 등 개인의 여러 실천 방안에서부터 국가 간의 협약까지 여러 가지 활동이 현재 진행 중에 있다.

실제 주변에서 함께 근무하는 의사와 간호사 중 일회용품 사용을 줄이기 위해 개인 텀블러를 가지고 다니는 사람도 많이 볼 수 있다. 그런데 여기서 역설적이지만 그 어느 장소보다 일회용품을 많이 사용하는 곳이 병원이라는 점이다. 감염 등의 문제가 있어 어쩔 수 없이 일회용품을 많이 사용할 수밖에 없는 점은 분명 존재한다. 특히, 코로나19(COVID-19) 팬데믹으로 인해 이러한 일회용품 사용이 더욱 늘어날 수밖에 없는 상황이다. 그렇지만 이에 대한 현실을 충분히 인지하는 것은 이 문제를 해결하는 노력을 경주하는 데에 일조할 것임이 분명하므로 마취와 관련하여 이 문제를 다루어 보려고 한다.

앞서 지구 온난화의 가장 큰 기체 두 가지는 메탄과 이산화탄소라고 말했다. 이산화탄소 발생이 압도적으로 많은 부분을 차지하지만 메탄의 지구 온난화 효과는 이산화탄소에 비해 월등하게 높다. 이산화탄소의 100년간 지구 온난화 잠재력(GWP:global warming potential)이 1이라면 메탄은 21 정도 된다. 전신마취를 하면 공기와 함께 흡입마취 약제가 기화기를 통해 폐로 들어가 효과를 나타내고 다시 폐를 통해 배출된다. 이와 같이

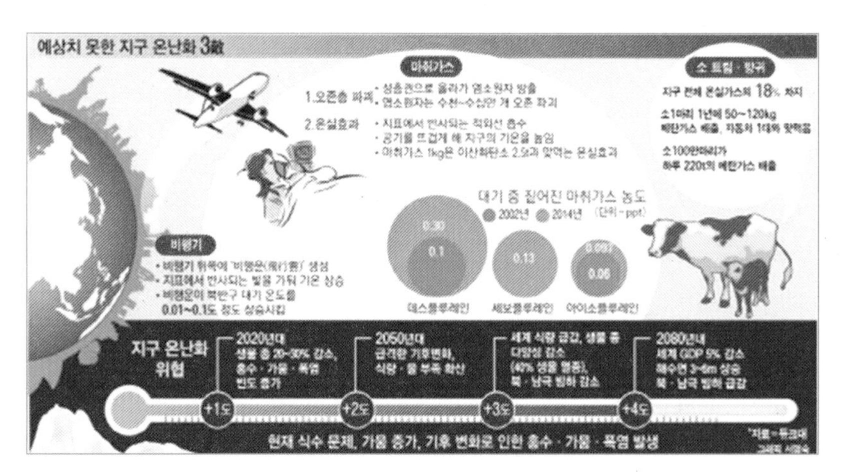

[그림 34] 지구 온난화와 흡입마취 약제
원호섭, "수술실은 지구를 뜨겁게 한다", <매일경제>, 2015-04-15.

배출되는 흡입마취 약제는 공기와 함께 별도의 과정 없이 대기 중으로 배출되고 있다. 여기서 흡입마취 약제는 지구 온난화에 전혀 영향을 미치지 않을까? 절대 아니다. 아산화질소(nitrous oxide)의 GWP = 265, 이소플루란(isoflurane)의 GWP = 510, 세보플루란(sevoflurane)의 GWP = 130, 데스플루란(desflurane)의 GWP = 2,540으로 지구 온난화에 엄청난 악영향을 미치는 것을 알 수 있다. 여기에 흡입마취 약제가 대기에서 분해되는 시간은 아산화질소 = 114년, 이소플루란 = 3.2년, 세보플루란 = 1.1년, 데스플루란 = 14년으로 그 기간 또한 상당하다.

기체 형태의 흡입마취 약제는 지구 온난화에 엄청나게 큰 영향을 미치므로 정맥마취 약제로 전신마취를 하고 국소마취 약제로 부위마취를 하는 것이 더 나은 선택일까? 전혀 그렇지 않다. 우선, 환자에게 주입되었던 약제들은 체내에서 대사되어 어떤 형태로든지 체외로 배출되며 이 과정에서 자연스럽게 지구에게 영향을 미치게 된다. 병원에서 많은 약제들이 포함된 폐수들이 여러 처리 과정을 거쳐 배출되지만 100% 무해하게 처리되지는 않는다. 이로 인해 배출 과정을 거쳤음에도 불구하고 신경 계통이나 내분비 계통에 독성을 가지거나 기형이나 암 등을 유발하는 물질로 작용하게 된다. 약제의 환경에 대한 위험도를 평가하기 위해 약제가 환경에서 분해되지 않고 지속되는 정도(P:persistence), 약제가 생물에 축적되는 정도(B:bioaccumulation), 그리고 약제가 생물에 주는 독성 정도(T:toxicity)의 세 항목에 대해 0~3까지 점수화하여 최종 위험도를 0~9까지 PBT라는 지수를 사용하고 있다. 일명 우유주사, 즉 프로포폴(propofol)은 PBT = 9로 마취 약제 중에서 가장 높은 수치를 나타낸다.

마취 시에 사용되는 의료 용품은 재사용이 가능하거나 일회용품으로 제공된다. 재사용이 가능한 제품을 사용할 것인지 아니면 일회용품을 사용할 것인지에 대한 전통적인 판단 기준은 환자의 안전과 효능 및 감염 등이었지만 이제는 환경적인 영향이 고려되어야 할 것이다. 특히, 대부분의 일회용품이 인체에 유해한 폴리염화비닐(polyvinyl chloride), 다이에틸헥실프탈레이트(diethylhexyl phthalate) 등을 함유하고 있어 폐기 후에도 이것들이 환경에 잔류하여 환경 호르몬으로 작용할 수 있음을 생각하면 일회용품의 선택에 더욱 신중할 수밖에 없다. 일회용품의 경우 생산 및 구입 단가가 저렴하고 환자 사이의 교차 오염 등을 고려하면 그 사용량이 증가하는 것은 당연한 것처럼 여겨질 수 있다. 하지만 생산 과정에서 발생하는 많은 양의 이산화탄소 배출과 더불어 사용 후 폐기 과정에서 발생하는 여러 독성 물질이 환경에 상당한 영향을 미치고 있는 것은 자명하다. 반면에 재사용이 가능한 제품의 경우 생산 및 폐기 과정에서 환경에는 영향을 적게 미치는 이점은 있지만 재사용을 위한 세척 및 소독 과정에 들어가는 에너지와 발생하는 여러 요소에 의해 환경에 악영향을 미칠 수 있다.

마취 및 수술 과정에서 쓰이는 수많은 장비와 기구들은 멸균되어 싸여 보관되어 있다가 사용된다. 이 과정에서 장비와 기구를 싸고 있는 포장과 관련된 폐기물들이 많이 나오게 된다. 이것들은 실제 분리수거되어 재활용이 될 수도 있고 그렇지 못할 수도 있다. 재활용이 될 수 있음에도 불구하고 피 등으로 오염되어 폐기할 수밖에 없을 수도 있다.

마취 과정에서 어떤 마취 약제와 의료 용품을 어떻게 사용할 것인가는 전적으로 환자의 안전에 주안점을 두어야 한다. 하지만 이러한 선택에 지구 사회 일원으로서 좀 더 환경적인 문제를 고민하지 않을 수 없다. 바쁜 의료 환경과 종종 급박하게 돌아가는 응급 상황 속에서 이러한 고민까지 하는 것은 쉽지 않은 일이다. 하지만 우리가 조금만 더 신경을 쓴다면 모두가 함께 살아가는 이 지구에 좀 더 선한 영향을 미칠 수 있음은 분명한 사실이다.

마취의 미래

인류는 18세기 들어 증기 기관이 발명되며 농업 및 가내 수공업에서 공업으로 산업 전환의 시초가 되는 제1차 산업 혁명을 이루었다. 이후 19세기에서 20세기 초에는 동력원이 석탄에서 석유로 전환되고 이와 함께 전기의 보급을 통한 폭발적인 생산성 증가 시기인 제2차 산업 혁명 시기를 거쳐 왔다. 그리고 20세기 후반 들어 컴퓨터로 대변되는 제3차 산업 혁명 시기를 지나 21세기 초반에는 빅데이터(big data), 인공지능(artificial intelligence), 로봇(robot), IoT(Internet of things), 무인항공기(unmaned aerial vehicle), 3D 프린팅(3D printing), 나노 기술(nanotechnology) 등으로 대변되는 제4차 산업 혁명 시기를 경험하고 있다. 기술의 진보와 함께 변화의 속도는 점점 빨라지고 유망하다고 언급되었던 직업도 어느 순간에 사라져 가고 있다. 의학 분야에서도 제4차 산업 혁명을 온몸으로 느끼고 있다.

폐쇄 순환 방식(closed-loop system)

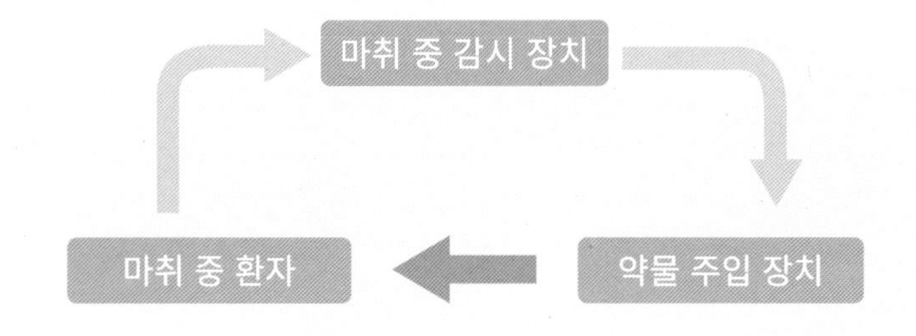

빅데이터를 기반으로 환자의 암 질환을 진단하고 항암 치료 계획은 인공지능의 도움을 받으며, 로봇을 이용해 보다 적게 상처를 내고 보다 정밀하게 병소를 들어낼 수 있는 수술 등이 시행되고 있다. 진료 현장에서 이미 빅데이터, 인공지능, 로봇 등은 다른 세상의 일이 아닌 나와 함께하는 용어가 되었다. 빅데이터와 인공지능을 처음 접했을 때 내과 계열 의사의 종말을 고하는 신호탄이라고 생각했다. 환자가 스스로 증상을 입력하거나 피 검사 결과를 입력하면 지금 겪고 있는 질환이 무엇인지 바로 답이 나온다. 그리고 환자의 영상이나 병리학적 검사 결과마저 빅데이터를 통해 영상의학과 의사나 해부병리학과 의사의 도움 없이 확인할 수 있을 것이며 내과부터 진단검사의학과, 영상의학과, 해부병리학과 등 모두 존재 가치를 잃어버릴 것이다. 그나마 손으로 모든 일을 해야 하는 외과 계열이 조금 덜 영향을 받겠지만 운명은 다르지 않을 것이다. 사실 외과 계열은 이미 몰락하고 있었다. 건강 검진 등으로 조기 진단이 가능해

지면서 많은 수의 외과 의사가 참여하는 수술은 이제 점점 줄어들고 있고 기술의 발전으로 점점 더 비침습적인 수술이 가능해지면서 소수의 외과 의사만을 필요로 하게 되었다. 게다가 예전에는 수술만이 선택지였던 여러 치료들이 약물이나 간단한 시술로 가능해져 외과 의사들의 활동 영역은 점점 줄어들고 있다.

마취 영역에서도 이미 제4차 산업 혁명의 파도가 밀어닥쳐 그 영향력 아래에 놓여 있다. 사용하는 마취 약제들은 환자에게 더 안전하고 조절하기 쉬워졌다. 마취 중 감시 장치는 더 정확하고 문제를 빨리 발견하도록 발전했다. 여러 영상 장치를 통해 환자에게 시술하는 행위 역시 안전하게 수행할 수 있게 되었다. 이러한 변화들이 제4차 산업 혁명의 물결에서 더 속도를 내고 있다. 전공의 시절에 교과서에서 '폐쇄 순환 방식(closed-loop system)'에 대해 읽었을 때 두 가지 생각을 하게 되었다. 영화 <터미네이터(Terminator)> 그리고 '미래가 없는 과를 선택한 실수를 저지른 것은 아닐까'였다. 폐쇄 순환 방식이란, 사람의 인위적인 조작 없이 자동으로 어떤 공정이 설정 목표에 이를 때까지 돌아가는 기계를 말한다. 현재 마취에서 마취 심도를 조절할 때 마취통증의학과 의사가 환자의 마취 심도 감시 장치를 확인하고 심도가 얕으면 마취 약제를 더 투여하고, 반대로 심도가 깊으면 마취 약제를 덜 투여하여 조절하게 된다. 하지만 폐쇄 순환 방식에서는 마취통증의학과 의사의 역할을 기계가 담당하게 되는 것이다. 만약 이러한 폐쇄 순환 방식이 마취의 네 가지 요소에 마치 자율주행차(self-driving car)처럼 완벽하게 적용될 수 있다면 경천동지의 소식이 되는 것이다. 이제 곧 기계가 인간을 지배하는 세상이 온다는 두려움과 기계가 인간을 지배하는 세상은 시간이 걸리겠지만 마취통증의학과 의사가 설

자리는 이제 없을 것이라는 현실적인 두려움을 느꼈었다.

다행스럽게도 교과서에서 읽은 미래 예측 시나리오가 20여 년이 지났지만 아직 완벽한 폐쇄 순환 방식의 시대는 오지 않았다. 폐쇄 순환 방식의 시도는 계속 진행되고 있지만 아직 정착하지 못하고 있는 이유는 아직까지 마취의 네 가지 요소를 정확하게 감시하지 못하는 것에서 찾을 수 있다. 마취의 제1 요소 및 제4 요소에 대해서는 각각 마취 심도 감시 및 신경근 감시 장치를 통해 어느 정도 믿을만한 감시가 가능하지만 통증이나 반사에 대해서는 넘어야 될 장벽들이 아직 많다. 그렇지만 최근 빅데이터에 기반하여 환자의 혈압과 그 파형을 확인하여 환자가 저혈압에 빠질 가능성을 계산해 알려주는 저혈압 예측지수(HPI:hypotension predictive index)가 임상에서 도입되어 사용되고 있는 것으로 볼 때 그리 먼 훗날의 이야기가 아닐 수도 있겠다. 이와 같이 마취에 있어 기계가 거의 모든 일을 하고 기계가 할 수 없는 일부의 일에만 사람이 하는 날이 곧 도래할지 모른다는 두려움을 느낀다. 그래도 환자의 안전이 점점 중요해지는 시대이므로 마취를 받을 때 환자 개개인의 기도 관리는 결국 사람 손인 마취통증의학과 의사에게 맡길 수밖에 없다는 안일한 생각으로 한숨을 돌리고 있다. 하지만 이 또한 시대의 흐름이 조금이라도 늦게 흘러가기를 바라는 어리석은 자조일 뿐일 것이다. 내과 계열이든지 외과 계열이든지 상관없이 이제 몰아치는 제4차 산업 혁명의 태풍 아래에서 어떤 방식이든지 변화를 받아들일 수밖에 없을 것이다.

전신마취에 대한 걱정 또는 두려움

한 번 언급했던 이야기이지만 환자 입장에서는 가장 중요하다고 여길 만한 내용인 까닭에 다시 한 번 다루어 보려고 한다. 어떤 수술이 예정되면 해당 수술 날짜를 예약하기 전부터 여러 가지 경로를 통해 수술 이후 재활까지 속속들이 찾아보고 준비하기 시작한다. 그렇지만 수술을 위한 마취에 대해서는 수술 전날 주치의나 마취통증의학과 의사가 방문했을 때 처음으로 걱정하기 시작한다. 그 다음에 수술 당일에는 혹시라도 사고가 터질까를 염려하여 더 큰 걱정에 사로잡히기도 한다. 그렇다면 마취를 받은 환자 입장에서는 어떤 점이 두렵고 걱정이 될까? 그리고 현실은 어떨까? 여기에 대해 이야기해 보자.

환자 입장에서 가장 큰 두려움은 마취에서 깨어나지 못하는 상황일 것이다. 이는 마취를 시행하는 마취통증의학과 의사 입장에서도 가장 큰 두려움이다. 영화나 드라마에서 수술장 앞에서 기도하며 대기하고 있는 환자의 보호자에게 수술 집도의가 다가와서 "죄송합니다. 최선을 다했지만 마취에서 깨어나지 못하셨습니다."라는 말과 함께 무너지는 보호자의 모습을 종종 보게 된다. 대사 한 마디로 모든 상황을 설명할 수는 없겠지만 마취통증의학과 의사 입장에서 이러한 말은 집도의의 비겁함을 보여 주는 것이라고 생각한다.

계속 강조하는 이야기이지만 마취 상태에서 집도의는 수술에 집중할 수밖에 없기 때문에 활력징후(vital sign)를 포함하여 환자의 모든 상황을 통제하는 것은 마취통증의학과 의사가 담당하게 된다. 이때 수술 중 환자의 상태가 급격하게 나빠지면 마취통증의학과 의사는 상황을 즉시 집도의에게 알려 수술을 중지하도록 하며 환자의 상태를 다시 정상으로 돌린 뒤에 수술의 진행 여부를 결정하게 된다. 이 이야기는 수술 중의 불가항력적인 상황이 아니라면 마취가 아닌 수술 중의 어떤 사건으로 인해 마취에서 깨어나지 못하게 되는 것이지 단순하게 마취 자체의 문제로 환자가 깨어나지 못하는 상황은 극히 드물다는 것이다. 극히 드물더라도 마취 자체의 문제로 환자가 마취에서 회복되지 못하는 상황은 마취 중에 사용된 약제의 알러지(allergy) 반응이 과하게 일어나서 쇼크 상태에 빠진다든지 또는 악성고열증(malignant hyperthermia)처럼 치명적이지만 극히 드문 경우뿐이다.

그래서 "죄송합니다. 최선을 다했지만 환자를 살리기에는 역부족이었습니다."라는 말은 남은 가족에게 절대 위로가 될 수 없겠지만 전달하는 말은 정확하게 해야 한다. 진정한 의미의 마취에서 깨어나지 않는 상황은 마취 약제의 잔류 효과가 남아 의식이 돌아오지 않는 상황이라고 할 수 있다. 사실 예전에는 이러한 상황이 종종 있을 수 있었다. 마취 심도를 정확하게 확인하는 감시 장치가 없어 환자가 얼마나 깊게 자고 있는지를 알 수 없고 이마저도 환자의 혈압이나 심장 박동을 보며 조절하게 되므로 적정 마취 심도를 유지하는 용량보다 훨씬 과한 용량이 투여되는 경우가 많았다. 게다가 마취 약제로 인해 간이 망가지게 되어 마취 약제가 체내에서 대사되어 빠져나가지 못해 마취에서 늦게 깨어나는 것은 당연할 수밖에 없었다.

그렇지만 현재 우리는 의료 기술이 발달한 세상에서 살고 있다. 마취 심도 감시는 이제 꼭 검사해야 할 장비 중의 하나가 되었고 장시간 지속적으로 노출되지 않는다면 간이나 신장에 크게 문제를 주지 않는 마취 약제들이 개발되어 현재 사용되고 있다. 하지만 이것으로 인해 마취에서 깨어나는 것이 완벽하게 문제가 없다는 것은 아니다. 말장난처럼 들릴 수 있겠지만 마취 외에도 수술 자극, 통증, 심리적인 영향 등으로 환자들은 마취에서 깨어나면 가족들이 알던 사람이 아닌 다른 사람처럼 돌변하는 경우가 생길 수 있다. 고령의 환자에서 볼 수 있는 섬망이든지 소아 환자에서 볼 수 있는 흥분 상태 등이 있다. 이러한 변화들이 마취라는 행위를 하여 발생한 것은 맞지만 이 모든 것을 마취의 탓이라고 돌리는 것은 정작 섬망과 흥분 상태를 예방하거나 치료하는 것에 초점을 두지 않고 마취라는 행위에 따른 어쩔 수 없는 상황으로 치부하는 사람들이 많다는 사실에 안타까운 마음을 가지게 된다.

소아 환자에서 마취 관련 질문을 받을 때 가장 많이 듣는 질문 중의 하나는 "혹시 머리가 나빠지지는 않을까요?"라는 부모의 걱정이다. 이에 대한 정답은 무엇일까? 연구에서 과학적인 정당성을 가지려면 연구 대상에게 노출하고자 하는 것만 다를 뿐이고 다른 모든 것이 동일 상태에서 이루어져야 한다. 소아에서 마취 전후의 지능을 알아보려면 같은 지능을 지닌 소아에서 한쪽은 마취에 노출을 하고 다른 한쪽은 마취에 노출이 없도록 조치한 다음에 평가해야 한다. 그런데 같은 지능을 지닌 집단이란 것이 실제로 존재할까? 그렇다면 소아에서 마취 전후의 지능을 비교하면 되지 않을까 생각해 볼 수 있지만 지능 측정에 함정이 있다. 결국 지능의 비교를 위해 동일한 문제를 풀어야 하는데 한 번 풀어 본 문제에 대해 두 번째는 학습을 통해 더 좋은 성적이 나올 수밖에 없는 맹점이 있다. 사실 마취에 따른 소아의 지능에 대한 연구는 치명적인 문제를 가지고 있다. 아이가 마취를 받는다는 것은 어떤 질환이 있음을 의미하는 것이고 그렇다면 이때의 연구는 마취에 따른 연구가 아니라 질환의 유무에 따른 연구가 될 수도 있는 것이다. 게다가 아무 질환이 없는 아이에게 연구를 위해 마취를 한다는 것은 윤리적 측면에서 용납할 수 없는 것이다.

결론적으로 소아의 지능에 대한 연구는 연구 설계부터 풀기 어려운 문제를 안고 있다. 이러한 연구 설계의 문제를 해결하기 위해 마취 유무에 따라 쌍둥이를 비교하기도 하지만 이것 또한 한계를 내포하고 있다. 그렇지만 이에 관한 연구는 많은 사람들이 관심을 가지고 있어 여러 다양한 방법으로 시도가 이루어지고 있다. 어떤 연구자는 마취를 받은 아이에서 정신의학과적 문제가 더 많이 발생한다고 결론을 내리기도 하고, 어떤 연구자는 마취를 통해 뇌가 자극되어 학습 능력이 월등히 좋아지는 결과를 보인다고 말하기도 한다. 사실 이 문제에서는 명확한 결론을 내리기는 쉽지 않다. 마취가 지능을 낮추고 정신적인 문제를 일으킬 수 있다고 소아에게 마취를 하지 않고 어떤 의학적인 조치를 하는 것은 고문이고 그로 인한 문제는 마취를 받은 결과 나타나는 부작용보다 훨씬 클

것이다. 그래서 동문서답이지만 소아에서 마취는 필요에 따라 시행할 수밖에 없는 의료 행위임을 아는 것이 이 문제의 정답일 것이다.

'마취에서 잘 깨어날 수 있을까?'라는 불안은 '혹시 수술 중에 깨어나지는 않을까?'라는 두려움을 동반하기도 한다. 어느 환자가 수술 중에 의료진의 대화를 다 들었다는 이야기를 전해 듣게 되면 그 두려움은 더 커지게 된다. 마취 중 '각성'이란 이렇게 수술 중 모든 상황을 생생하게 기억하거나 또는 꿈인지 현실인지 모르게 기억할 수도 있다. 생생하게 기억하는 기억을 '외현기억(explicit memory)'이라 하고, 꿈인지 현실인지 모르는 이 기억을 '암묵기억(implicit memory)'이라고 한다. 환자 입장에서 둘 다 문제가 되겠지만 더욱 문제가 되는 것은 암묵기억이다. 마취가 종료한 다음 병원에서 퇴원할 때까지 전혀 의식하지 못하고 있다가 어느 순간 그 기억이 환자를 사로잡아 인질로 만들 수 있다. 의식의 저 깊은 곳에서 마취 중의 각성에 대한 경험이 본인도 모르게 잠들어 있으면 환자는 일상생활에서 그 정체를 알지 못하는 대상에 대한 불안이나 두려움이 생겨 자신을 놓아버리게 될 수도 있다.

의료 기술이 발달하여 마취 감시 장치가 등장하고 이와 함께 마취 심도의 감시 역시 발달해 마취 중의 각성은 이제 거의 사라진 것처럼 보인다. 하지만 의도적으로 환자의 진정이나 수면을 제한할 수밖에 없는 심장 관련 수술, 산모와 태아를 둘 다 마취해야 하는 분만 관련 수술, 그리고 외상으로 인한 수술에서는 마취통증의학과 의사는 항상 그 위험성을 알고 조심하고 또 조심해야 한다. 그래서 수술실에서 의료진들은 가급적 조용히 대화해야 하고 이러한 각성의 위험이 있는 환자에게 이를 예방하기 위해 최대한 노력해야 한다. 예를 들어 환자에게 귀마개를 착용하도록 하고 동시에 환자가 편안하게 느낄 수 있는 음악을 들려주는 등의 조치를 취해야 한다. 이것은 환자에 대한 예의이자 의료진이 갖추어야 될 덕목이라고 할 수 있다. 집도의가 자신이 좋아하는 음악을 크게 틀어 놓고 수술하는 경우가 종종 있다. 편안하게 들을 수 있는 음악이라면 모르겠지만 어떤 집도의는 호불호가 뚜렷한 지극히 개인 취향의 음악을 수술실 밖에까지 들릴 수 있을 정도로 크게 틀어 놓기도 한다. 마취통증의학과 의사 입장에서 집도의가 편안하게 느낄 수 있는 환경에서 환자는 최고의 의술을 받을 수 있다고 생각한다. 따라서 집도의가 자신이 좋아하는 음악으로 인해 좋은 성적을 낼 수 있다면 그 나름대로 바람직하다고 할 수 있지만 수술은 집도의 혼자가 하는 것이 아니다. 수술실에 있는 모든 의료진이 유기적으로 잘 협력하여 나오는 결과가 환자의 치료 성적인 것이다. 이 성적은 절대 집도의 혼자만의 성과가 아니다. 그러한 의미에서 집도의는 다른 의료진과 더불어 환자의 편안함을 함께 생각할 수 있어야 한다.

마취와 관련된 걱정 중 환자에게나 마취통증의학과 의사에게 다른 선택지가 없어 고민이 되는 경우가 하나 있다. 바로 산모에게 분만 외의 이유로 마취를 하는 경우이다. 분만을 위한, 즉 제왕절개술을 위한 마취에서는 마취 유도 후 태아의 분만까지 10분 이내라는 짧은 시간에 이루어지는 것이 대부분이므로 분만이 이루어진 상황에서는 산모만을 생각하여 마취를 수행하면 된다. 하지만 산모가 질환이 있어 치료를 위해 마취를 받는 경우에는 이야기가 달라진다. 마취 약제들은 대부분 태반을 쉽게 통과하기 때문에 태아에게 직접적으로 영향을 미칠 수밖에 없다. 그렇다고 마취를 하지 않고 산모에게 참아 보라고 할 수도 없는 노릇이다. 실제 태아에게 미칠 영향을 설명하면 많은 산모들이 마취 없이 참겠다고 하는 경우도 있다. 그렇지만 참아 내는 것이 능사가 아니다. 수술로 인해 산모에게 가해지는 고통은 태아에게 고스란히 전달되기 때문에 이것 역시 태아에게 좋지 않은 영향을 미치게 된다. 다행스러운 것은 척추마취, 경막외마취, 신경차단 등에 사용되는 국소마취 약제는 태아에게 영향을 미치는 일이 드물다는 사실이다. 이러한 이유로 산모의 경우 분만 외 마취를 필요로 할 때 척추마취, 경막외마취, 그리고 신경차단이 많이 활용된다.

하지만 꼭 전신마취를 시행할 필요가 있는 경우에는 이야기가 달라진다. 산모를 생각하면 마취 약제를 적게 쓸 수도 없는 것이다. 이러한 경우 마취통증의학과 의사는 마취를 시행하게 됨으로써 태아를 잃을 수도 있음을 설명하게 된다. 이때 마취와 기형의 관계에 대해서도 질문을 받기도 하지만 정확하게 수치를 통해 설명하기는 참 난감하다. 마취통증의학과 의사가 아닌 의사 입장 그리고 부모 입장에서 확률과는 상관없이 자신의 아이에게 가해지는 위험을 방관할 수는 없을 것이다. 또 확률이 낮다고 하더라도 태어나 문제가 생긴다면 아무런 의미가 없다. 위험해질 확률이 지극히 희박하더라도 자신에게 일어난다면 그 확률은 100%이다. 마취를 받고 아이의 출생까지 산모는 가늠하기 힘들 정도의 심한 마음고생을 겪게 되는 것이다. 다행스러운 것은 산모의 의지인지 태아의 의지인지 마취통증의학과 의사의 노력인지 특별하게 크게 문제가 있는 출생은 드물다는 사실이다. 정말 다행이지 않을 수 없다.

조금 옆길로 새는 이야기이지만 산모는 그 누구보다 강한 존재이다. 혹여 태아에게 해가 될까 마취 없이 고통을 감내하겠다는 산모를 보면 자신의 모든 것을 희생하더라도 아이를 지키겠다는 의지를 느낄 수 있다.

그러한 산모의 아이는 엄마를 닮아서인지 절대 자신의 생명을 포기하지 않고 악착같이 살아남는다. 엄마의 기대에 부흥해 오히려 더 강해지는 것 같다. 이 모든 것을 의사의 입장에서 설명하고 헤아릴 수는 없지만 마음속 뼛속 깊이 느낀다. 세상의 엄마들은 그리고 아기들은 위대하다.

마취에 대한 걱정과 함께 수술 후 통증은 환자에게 최대의 고민거리일 수밖에 없다. 사실 수술 후 통증은 마취와는 상관없는 이야기이다. 그렇지만 마취통증의학과 전문의 입장에서 수술 후 통증에 대해 이야기해 보려고 한다. 어떤 수술이든지 살을 절개하는 행위가 일어나면 통증은 동반될 수밖에 없다. 마취 중에는 통증에 대해 자각할 수 없지만 마취에서 회복되면서 통증은 걷잡을 수 없는 공포로 다가오게 된다. "아파요. 진통제 좀 주세요." 일부 몰지각한 의사들은 수술 후에는 당연히 아픈 것이고 이는 환자 입장에서 어느 정도 감수하고 당연히 참아야 된다고 생각하는 경우도 있다. 자신이 통증을 느끼는 환자라도 그러한 말을 할 수 있을지 모르겠다. 무통분만에서 산모가 분만 과정에서 전혀 통증을 느끼지 않는다면 힘을 주지 않아 어느 정도 아픈 상태를 유지해야 된다고 말하는 산부인과 의사도 있다. 산모에게 사전에 분만 과정을 잘 교육하면 되는 것이지 아프다고 힘을 더 주고 아프지 않다고 힘을 덜 주게 된다는 것인가?

환자에게 어느 정도 통증은 필요하다 생각하는 의사들은 불충분한 통증은 결국 마약 제제를 통해 조절할 수 있고 이의 사용은 잘못하면 호흡곤란이나 혈압 저하 등이 발생할 수 있기 때문에 아예 마약 제제를 사용하지 않으려고 하는 경향이 있기 때문이다. 사실 환자가 아프지 않고 수술 후 바로 침대에서 일어나서 걸을 수 있다면 이는 곧 빠른 회복으로 이어질 수 있다. 적절한 수술 후 통증 조절은 환자의 빠른 회복을 위해 꼭 이루어져야 하는 행위이다. 이를 위해 특정 약제에만 의존하는 것은 해당 약제의 부작용이 증가되는 결과를 초래하기 때문에 진통의 목적을 달성하기 위한 여러 가지 방법을 동원하여 통증을 조절하는 것이 필요하다.

통증 조절을 위한 가장 보편적인 선택지 중의 하나가 통증자가조절장치이다. 이는 환자가 아플 때마다 진통제를 요구해야 하는 어려움을 방지하는 장점이 있다. 환자의 체중 등을 고려하여 며칠 동안 필요한 진통제의 용량을 미리 환자에게 주입되도록 준비한 뒤에 시간당 일정 용량의 진통제가 지속적으로 주입되도록 하는 방법이다. 환자가 더 아프다고 느낄 때는 필요에 따라 진통제가 좀 더 주입되도록 만들어 수술 후 통증이 어느 정도 조절될 때까지 진통제가 일정한 수준을 유지하도록 하는 것이다. 통증자가조절장치에 들어가는 진통제는 주로 마약 제제가 들어가므로 마약 제제와 관련된 부작용이 나타날 수 있다. 그렇지만 환자의 요구에 따라 진통제를 주는 것과 비교하면 그 부작용은 적고 통증 조절도 훨씬 효과적이다. 그리고 부작용이 발생하면 시간당 주입되는 용량을 줄이거나 일시적으로 주입을 중단하는 조치를 취하여 부작용을 조절할 수 있는 장점도 가지고 있다.

일부이지만 수술 후 통증자가조절장치가 있음에도 통증 조절이 잘되지 않는다거나 부작용이 더 발생한다고 불평을 토로하는 집도의도 있다. 통증 조절이 효과적이면서 부작용을 줄이기 위해서는 환자 옆에서 좀 더 면밀하게 관찰하며 환자에게 맞는 적정 수준을 맞추어야 되는 것이다. 단순하게 짐작하여 '이 환자에서 이 정도의 용량이 적절하므로 저 환자에서도 대충 이 정도의 용량을 투여한다.'라는 천편일률적인 방법은 효과적인 통증 조절이라는 목적을 달성할 수 없다. 장비가 아무리 좋더라도 그것을 사용하는 사람이 그 장비의 사용법을 정확하게 이해하지 못한다면 제대로 운용할 수 없을 것이다.

요즘에는 수술 후 통증 조절을 위해 신경차단 방식이 적극적으로 활용되고 있다. 정맥이나 근육으로 들어가는 진통제 대신에 수술 부위를 지배하는 신경을 국소마취 약제로 차단하여 통증 조절을 훨씬 효과적으로 할 수 있게 한다. 무통분만 때 경막외 공간으로 관을 넣고 통증자가조절장치를 연결해서 오랜 시간 지속적으로 통증을 조절할 수도 있다. 한 가지 아쉬운 점은 이러한 좋은 방법이 있음에도 불구하고 우리나라에서는 의료보험 적용의 문제 등으로 시술하는 대상에 제약이 많다는 점이다. 많은 사람들에게 보편적인 혜택이 돌아가는 것과 부담이 많은 특정 질환에서 집중적인 혜택이 필요한 것 등 정책적으로 고려해야 될 것이 많겠지만 수술 후 통증 조절에 관해서는 좀 더 넓은 영역에 걸쳐 의료보험 혜택에 포함되었으면 하는 바람이다.

Naver 지식iN

마취에 대해 좀 더 대중들에게 친숙하게 다가가기 위해 'Naver 지식iN'에서 활동한지 이제 만 1년이 넘었다. 사실 지식iN이란 것도 우연한 기회를 통해 알게 되었다. 우리 병원 정형외과 수술실 간호사(scrub nurse) 중에서 팔방미인으로 알려진 홍원기 간호사가 있다. 맞다! 귀한 남자 간호사이다. 이 분은 노래도 잘하고 글도 잘 쓰며 정말 재주가 많은 사람으로 어느 날 병원 그룹웨어에서 지식iN 활동을 하며 건강과 관련된 최고 활동을 많이 한 사람들 중의 한 명으로 선정되었다는 소식을 들었다. 사실 본인은 지금껏 지식iN이 무엇인지도 모르고 SNS(social network service)는 항상 자기 자랑이나 정치 성향으로 물드는 것을 보며 멀리했었다. 하지만 이는 마취에 대해 사람들에게 도움이 될 수 있겠다는 생각이 들었다. 마침 같은 목적으로 마취에 대한 책을 써 보려고 마음먹던 시기와도 맞아떨어진 것이다.

그리하여 익명으로 시간이 날 때마다 이런저런 질문들에 댓글을 달고 상담해 주면서 사람들이 마취에 대해 여러 가지 잘못된 인식을 가지고 있음을 알게 되었으며 이에 대해 문제의식을 가지게 되었다. 그중의 하나가 전신마취를 한 뒤에 이런저런 증상이 생겼다고 상담한 내용이다. 개인적으로 가장 황당하여 어이없다고 생각한 질문은 이런저런 질환으로 마취한 뒤에 갑자기 특정 음식 등에 알레르기 반응이 생겼는데 어떻게 해결해야 하느냐는 질문이다. 한의학을 꿈꿨던 시절이 있었기는 하지만 한의학에 대해 문외한이며 의학을 전공한 입장에서 마취로 인해 체질이 바뀌었다는 주장에는 우선 과학적인 근거가 없다고 분명하게 말하고 싶다. 이에 대해 가능한 설명은 앓고 있던 질환과 이의 해결을 위해 수술적인 방법을 선택하면서 마취가 이루어졌고 이 과정에서 환자가 자신도 의식하지 못한 채 어떤 알레르기를 일으킬 수 있는 원인에 노출되었을 것이다. 그로 인해 앓고 있던 질환이 완치된 뒤에 이러한 알레르기 반응이 발생하면 단순하게 마취가 원인이 되어 이전에 없던 알레르기가 생겼다고 생각하는 것이다.

사실이 그렇다 하더라도 간과하지 말고 마취통증의학과 의사 입장에서는 꼭 짚고 넘어가야 할 문제가 있다. 먼저, 환자들은 왜 이러한 문제가 발생하면 덮어놓고 자신이 앓았던 질환에서 원인을 찾아보는 것이 아니라 마취에 어떤 문제가 있을 것이라고 생각하게 되는가를 알아볼 필요가 있다. 이에 대해 마취통증의학과 의사 입장에서 분명하게 반성해야 될 부분이 있다. 수술이 예정되면 마취통증의학과 의사는 수술 전에 외래나 입원실에서 환자 또는 보호자를 만나 현재 환자의 상태에 기초하여 어떤 마취를 계획하고 있고 마취를 종료한 뒤에 어떤 일이 발생될 수 있는지에 대해 자세하게 설명한다. 이러한 과정을 통해 주치의만큼은 아니더라도 어느 정도 의사와 환자 간의 교감이나 관계(rapport)를 이루게 된다. 그 후 마취라는 진료 행위가 종료되면 환자의 수술 후 회복 단계는 주치의 몫으로 남겨지며 마취통증의학과 의사는 전면에서 사라지게 된다. 이것이 문제가 되는 것이다. 환자의 수술 후 회복 단계에서 마취통증의학과 의사의 역할은 줄어드는 것이 분명하지만 없어지는 것은 아니다. 수술 후 통증부터 시작해 여러 가지 해야 할 일들이 남아 있다. 그럼에도 불구하고 주술기의학*을 표방하는 마취통증의학과 의사이지만 수술실에서의 역할이 과중하다는 핑계로 또는 주치의와의 마찰의 회피를 핑계로 환자의 수술 후 회복 단계에서의 역할을 잘 수행하지 않는다는 점이다.

이에 대해 마취통증의학과 의사의 반론이 있다. 이와 같이 이상적인 주술기의학을 지향하고 수행하려 해도 현실적인 의료 시스템이 받쳐주지 않는다는 점이다. 전 국민 의료보험 제도라는 훌륭한 정책이 몇 십 년 전에 시행되기 시작했고 대한민국 복지 정책의 가장 큰 성과라고 하더라도 세심한 운영이 없으면 무용지물이다. 이미 코로나19(COVID-19) 팬데믹으로 인해 우리는 이에 대해 뼈저리게 느끼고 있다. 마취에 대한 의료 수가는 정립되어 있지만 마취 전 그리고 마취 후 진료에 대한 의료 수가는 전무한 실정이다. 현실적으로 아무런 대가 없이 단지 마취를 시행했던 환자라고 해서 그 환자를 담당했던 마취통증의학과 의사에게 마취 전 그리고 마취 후 진료에 대한 책임을 지울 수 있을까? 마취 전 진료 수가가 없더라도 마취통증의학과 의사가 마취 전에 환자를 만나는

* peri-operative medicine, 수술 전부터 수술 중 그리고 수술 후까지 환자의 치료를 담당한다는 의미

것은 자신이 맡을 환자에 대한 의무라고 생각하기 때문이다. 또 이 과정을 거친 뒤에야 실제 마취에서 좀 더 환자에게 도움이 되는 마취 행위를 할 수 있기 때문이다. 그렇지만 마취 후에도 이를 마취통증의학과 의사의 의무라고 생각하며 진료를 시행해야 된다고 그 누가 이야기할 수 있을까? 의사라는 직업에 대해 사회적인 책무가 막중하게 부여되는 우리나라 사회에서 어느 누구도 앞장서서 수술 후 환자의 문제를 적극 해결하려 들지 않을 것이다. 더욱이 항상 치료에 있어 주치의와의 상의까지 거쳐야 되는 과정도 부담스럽게 여겨진다. 이에 대해서는 제도부터 마취통증의학과 의사와 주치의의 협진 과정 등 모든 시스템의 확립이 선행되어야 해결될 것이다.

또 한 가지 생각해 보아야 될 점은 어떤 질환이 완치되었다고 하더라도 자신의 몸에 대한 변화에 대해 편안하게 물을 수 있는 환경이 제공되지 않는다는 점일 것이다. 여기에 또 한 가지 마취통증의학과 의사가 아닌 의사 입장에서는 질환이 치료되었다는 입장에서 마취는 너무 좋은 핑계가 될 수 있다는 점이다. 왜냐하면 우리나라 사람들은 아직 마취에 대해 일반적 상식이 부족하고 뿌리 깊은 한의학의 신봉으로 인해 "마취로 인해 체질이 바뀌신 것 같습니다."라고 한 마디 듣게 되면 그 이상의 질문을 하지 않고 그대로 받아들이는 경향이 있다. 이는 외래에서 충분하게 환자와 의사가 대화할 시간이 없다는 제도적인 모순도 있겠지만 수술 또는 시술하는 의사 입장에서 마취를 하나의 핑계로 전락시키는 비겁함이 깔려 있으며, 마취에 대한 무지와 함께 우리나라 사람들의 뿌리 깊은 체질에 대한 믿음의 합작품이라고 할 수 있을 것이다.

아내가 첫째 아이를 낳은 직후 한쪽 다리에 마비, 즉 비골신경 마비

(peroneal palsy)가 왔었다. 의사라면 분만 과정 중에 다리 고정을 잘하지 못해 생긴 일종의 의료 사고이며 큰 문제없이 회복되는 것을 잘 알고 있을 것이다. 그렇지만 대구에서 산부인과 전문 병원이라 하는 어느 병원의 행태가 정말 어이가 없었다. 산모가 분만 과정에서 의료진의 지시에 따르지 않아 생긴 일이므로 자신들의 잘못이 아니라고 답변했다. 이는 비겁하기 그지없는 태도인 것이다. 의료 지식이 전무한 사람이라면 분만 후 다리를 쓰지 못하는 것이 정말 큰 충격으로 다가올 것이다. 따라서 이에 대한 이유와 경과 그리고 치료 과정 등에 대해 상세하게 설명하여 안내하는 것이 올바른 처사일 것이다. 그 다음에 환자의 남편이 대학병원에서 근무하는 것을 알고 태도가 언제 그랬냐는 듯이 달라졌지만 일단 이러한 문제에서 특별히 후유증이 남지 않는 경우라도 우선 자신의 잘못은 없다고 말하는 의사들의 행태는 분명히 자기반성이 필요하다.

또 며칠 전에 지식iN에서 이러한 질문이 하나 올라왔다. 복부 수술 후 이상하게 손이 저리다는 것이다. 그래서 주치의에게 이야기하니 마취 때문이라고 하는데 낫지 않고 손이 계속 저리면 어쩌나 걱정을 한다. 아마 이 질문자의 증상은 수술 시에 환자의 팔을 벌려 고정하면서 과도하게 팔이 벌려져 신경이 늘어난 채 한동안 수술이 진행되어 발생했을 가능성이 가장 많을 것이다. 그리고 이러한 손 저림은 조금 불편하더라도 아무런 후유증 없이 며칠 뒤에는 깨끗하게 회복될 수 있다. 그럼에도 불구하고 솔직하게 수술 과정에서의 잘못을 언급하고 양해를 구하면 될 텐데 굳이 애꿎은 마취 탓으로 돌리는 것인지 정말 비겁한 행동이다.

나이 드신 환자의 경우 수술 후에 성격이 변했다는 질문이 종종 올라오기도 한다. 이러한 경우에는 질문자의 요구에 충분하게 만족할 만한 수준의 답변을 하지 못해 답답할 때가 많다. 수술 후 인지 기능 장애(POCD:postoperative cognitive dysfunction)라는 것이 있다. 원인 및 발생 기전 등 아직 정확하게 밝혀져 있지는 않지만 노인 환자에게 종종 발생하게 되는 마취 후 합병증 중의 하나이다.

수술 자체에 대한 스트레스, 수술 과정에서 생기는 여러 염증 반응 물질, 그리고 마취 약제 등 여러 요인들이 문제가 되지만 한 번 발생하면 보호자 입장에서 노인 환자이므로 치매의 전조 증상일지도 모른다는 두려움에 직면하게 된다. 특히, 노인 환자에서는 수술 직후 갑자기 장소 및 시간 등에 대해 인지하지 못하거나 헛소리를 하는 등 섬망 증세를 보이는 경우가 종종 있다. 자신의 몸에 연결되어 있는 여러 관을 통증에도 불구하고 마구 뽑아내거나 폭력적인 성향까지 보이기도 한다. 원인이 될 수 있는 요인을 파악해 교정하고 이를 예방하는 여러 시도를 시행했음에도 불구하고 아무런 이유 없이 이러한 증상을 보이는 환자도 있다. 수술이 잘 마무리되고 마취에서 특별한 문제없이 회복되었음에도 불구하고 이러한 상황에 맞닥트리게 되면 마취통증의학과 의사 입장에서는 상당히 난감한 일인 것이다. 사실 안전사고 예방을 위해 신경안정제(antipsychotic agent) 등을 투여하는 일 외에 딱히 해 줄 수 있는 일이 없기 때문이다.

개인적으로도 노인 환자에게 신경을 더 쓰는 편이지만 이런 POCD가 발생하면 이로 인해 고통을 받는 환자뿐만 아니라 그 모습을 바라보며 간병하는 보호자가 겪을 고통까지 생각하면 뚜렷하게 해결책을 제시하지 못하는 것이 여간 답답한 노릇이 아니다. 병실에서 정신의학과 등의 도움을 받기도 하지만 이것 역시 신경안정제 등을 통한 증상 완화일 뿐이다. 불행 중 다행인 것은 이러한 섬망 등을 포함하여 POCD가 환자가 퇴원 후 지속되는 경우는 많지 않다는 것이다. 결국 노인 환자에게 질환뿐만 아니라 병원이라는 공간 자체가 주는 스트레스가 상당하다고 할 수 있을 것이다. 전공의 시절에는 나의 할아버지나 할머니라 생각하고 손을 잡아드렸고 이제는 나의 아버지나 어머니라 생각하며 손을 잡아드리지만 나이가 들면서 병원과 가깝게 지낼 수밖에 없음은 사실 서글프기 그지없다.

30
수술 후 오심 및 구토

수술 후 오심 및 구토(PONV:postoperative nausea and vomiting)는 본인이 마취통증의학과를 전공하던 20여 년 전 전공의 시기에는 크게 관심의 대상이 아니었다. 사실 PONV가 발생하더라도 수술 후에 나타나는 통증처럼 이에 대한 치료제나 예방제가 있는 것도 아니므로 마취를 시행하면 당연히 겪게 되는 과정이라고 여겨지며 무심하게 다루어졌다. 2000년 중반 들어 우리나라에서도 PONV에 대한 여러 약제가 소개되면서 여기에 대한 관심이 증가하게 되었고 지금은 수술 후 통증과 더불어 마취 후 꼭 점검해야 될 부작용으로 자리매김했다. 개인적으로 다른 마취통증의학과 의사보다 이에 대해 관심을 많이 가지고 있어 심장 마취를 세부 전공으로 선택했음에도 불구하고 이와 관련된 연구들에 많이 참여했으며 그 결과 많은 성과를 도출했음에 자부심을 가지고 있다.

PONV는 아직 그 기전이 명확하게 규명되어 있지 않은 것이 사실이다.

수술 후 오심 및 구토(PONV)

위험 요인	점수
여성	1
비흡연자	1
멀미 또는 PONV 경험	1
수술 후 마약제제 사용	1
합계 =	0 ... 4

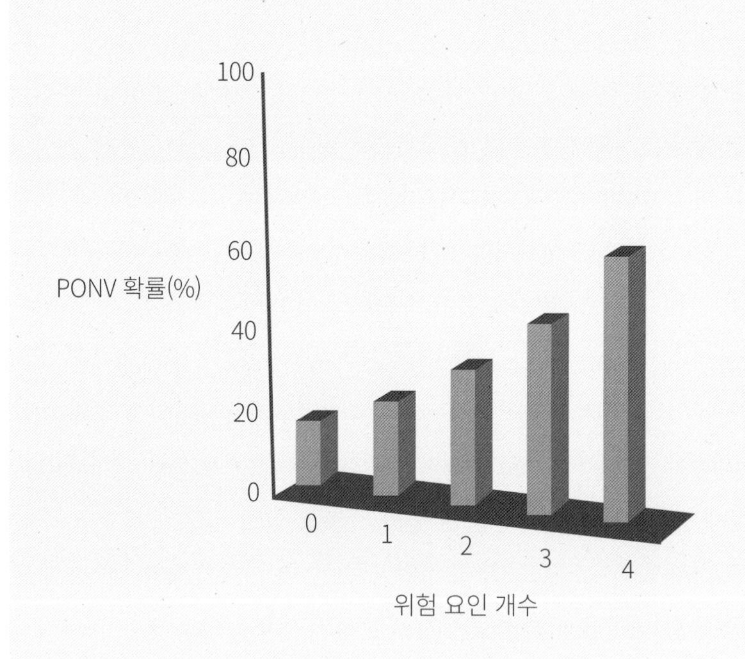

하지만 현재 어떤 상황에서 많이 발생하는지 등은 명확하게 밝혀져 있어 이의 예방에 도움이 된다. 먼저, PONV의 위험 요인은 환자, 수술, 마취의 세 가지로 나누어 설명할 수 있다. PONV가 많이 발생하는 환자는 우선 남성에 비해 여성에서 훨씬 많이 발생하고 나이가 젊은 사람일수록 많이 발생한다. 또 담배를 피우지 않는 사람에게서 더 많이 발생한다고 알려져 있다. 이를 종합해 보면 비흡연자이면서 가임기 여성이 PONV의 위험 요인이 된다. 평소에 멀미 증세를 빈번하게 겪거나 이전에 PONV를 보였던 환자도 역시 위험 요인이다. PONV가 자주 발생하는 수술이 있다. 복강경 수술, 얼굴 부위 수술 등은 PONV의 위험 요인이다. 마취에서 살펴보면 전신마취에서 PONV가 많이 발생하며, 특히 흡입마취 약제를 사용하면 PONV가 많이 발생하지만 이와 반대로 정맥마취 약제만으로 마취를 하면 PONV를 예방할 수 있다고 알려져 있다. 수술 후 통증 등을 위해 마약 제제를 사용하는 것은 PONV를 조장한다고 알려져 있다. 최근 의학기술이 발전하면서 많은 수술들이 비침습적인 방법으로 이루어지고 이를 목적으로 전신마취를 통해 복강경 수술이 많이 이루어지는 것을 생각해 보면 여성 환자들은 PONV 발생 확률이 상당히 높음을 알 수 있다.

이러한 PONV의 위험 요인에 대한 연구들을 바탕으로 어떤 위험 요인을 가지고 있으면 PONV 확률이 얼마나 되는지까지 예측할 수 있게 되었다. 여성, 비흡연자, 수술 후 마약 제제의 사용, 그리고 멀미가 잘 생기거나 이전 PONV 경험의 유무 중에서 어느 한 가지만 가지고 있으면 20%, 두 가지를 가지고 있으면 40%, 세 가지를 가지고 있으면 60%, 그리고 모두 가지고 있으면 80% 확률로 PONV가 생길 수 있다고 알려져 있다. 여기서도 비흡연자 여성 환자의 경우에는 PONV 확률이 40%로 계산되므로 철저하게 PONV에 대한 예방이 필요하다. PONV는 치료보다 예방이 훨씬 중요하다. 게워 내는 과정이 고통스러우므로 이러한 경험을 미연에 방지하도록 만드는 것이 중요한 것이다.

사실 병원에서 오심 및 구토는 환자나 일반인 입장에서 항암 치료와 관련된 오심 및 구토가 좀 더 이해하기 쉬울 것이다. 항암 치료와 관련된 오심 및 구토를 화학요법-유도 오심 및 구토(CINV:chemotherapy induced nausea and vomiting)라고 한다. 이 또한 예방이 중요하다. 항암 치료 과정에서 경험하게 되는 CINV의 고통으로 인해 항암 치료 자체를 꺼리게 되는 것으로 미루어 볼 때 PONV 역시 얼마나 고통스러운 경험인지를 알 수 있다. 환자의 안정을 중하게 여기는 의사로서 CINV가 한 번 발생하면 너무 괴로운 고통을 겪게 됨을 잘 알고 있기 때문에 환자가 위험 요인을 많이 가지고 있든지 적게 가지고 있든지 상관없이 적극적으로 예방 약제를 사용하는 것을 개인적으로 권장한다. 왜냐하면 안타깝게도 환자 입장에서는 PONV 확률을 줄일 수 있는 노력은 거의 전무하기 때문이다.

PONV에 대한 고통과 이의 고통을 조금이라도 줄이기 위한 환자의 노력에 대한 생각은 어떤 영화의 한 장면으로 빗대어 짐작할 수 있다. 비단결 같이 곱던 머리카락이 다 빠진 후 두건으로 머리 전체를 숨긴 한 여인이 항암 치료 전에 남편이 준 음식을 전혀 먹지 않고 거부하고 있다.

"조금만이라도 먹어 봐. 그래야 힘든 치료를 견디지?"

"음식이 들어가면 항암 치료 후에 토할 때 더 괴로워요. 소화액과 섞인 음식이 목구멍을 지나 밖으로 나오면 그 토사물의 냄새를 맡고 더 역겨워 또 게워 내게 돼요. 미안해요, 여보. 도저히 못 먹겠어요."

이와 같은 상황과는 반대로 '어차피 게워 낼 거 많이 먹어 힘이라도 내자.'

라고 생각하며 남편이 차려 준 음식을 먹는 여인과 그 모습을 지켜보며 눈물을 흘리는 남편의 모습도 볼 수 있다.

위의 두 장면은 모두 결국 환자 입장에서는 아무 힘없이 주어진 상황을 고스란히 받아들일 수밖에 없음을 보여 주는 것이다. PONV는 수술 직후에 발생하므로 금식된 상황에서 벌어지는 일이다. 게다가 PONV로 인해 좋지 않은 속은 게워 내기를 반복하며 온몸을 들썩이게 만들고 이는 수술 후의 통증을 배가하는 원인이 된다. 만약 수술 부위가 복부인 경우 수술 후 통증의 증가뿐만 아니라 수술 부위가 터져 다시 수술해야 되는 상황까지 초래할 수 있다. 여기서 PONV의 예방과 치료에 대한 의사의 노력이 중요함을 알 수 있다. 그런데 이러한 노력에 걸림돌로 작용하는 것이 수술 또는 시술하는 의사 중심으로 돌아가는 사고방식이라고 할 수 있다. 앞서 주술기의학(peri-operative medicine)에 대해 잠깐 언급했지만 수술후간호(postoperative care)에 있어 가장 중요한 의사는 주치의이고 마취통증의학과 의사의 역할은 교과서에만 있는 이야기일 뿐이며 실제 임상에서는 제한된 역할에 머물거나 거의 역할을 할 수 없다고 해도 과언이 아닐 것이다. 이러한 현실에 따라 PONV 역시 전문가인 마취통증의학과 의사가 아닌 주치의가 맡게 되는 것이다.

이는 PONV 위험 요인에 대한 종합적인 접근이 이루어지지 않고 단지 수술이나 시술에 초점이 맞추어져 해결점을 찾게 되는 결과를 낳게 된다. 많은 주치의들이 PONV는 마취 후 당연히 있을 수밖에 없는 것이고 발생하면 항구토제 등을 처방해 주는 것이 치료의 전부라고 생각하는 경향이 있다. 여기서 수술 후 통증을 조절하기 위해 통증자가조절장치를 단 환자에서 PONV와 관련된 황당한 일이 종종 벌어지기도 한다. 통증 조절을 위해 통증자가조절장치에는 마약 제제를 바탕으로 만들어진다. 수술 후 마약 제제의 사용은 PONV의 위험 요인이므로 환자가 PONV를 호소하면 우선 통증자가조절장치를 제거하는 주치의가 있다. 이렇게 되면 PONV가 조절되었더라도 통증은 해결되지 않게 된다. 이러한 경우 통증을 조절하기 위해 진통제를 사용하게 되고 충분하게 조절되지 않은 통증은 결국 마약 제제 사용으로 이어지게 된다.

위의 이야기는 PONV 치료에 대한 모든 책임을 주치의 탓으로 몰아가려는 의도가 아님을 언급해 둔다. 마취통증의학과 의사도 수술 후 환자의 회복에 대해 적극적으로 개입하고 의견을 개진해야 한다. 여기서 이 모든 것이 이루어지기 위해 제도적인 뒷받침은 필수적이다. 건강보험을 통한 복지 강국이라 자부하는 대한민국 의료에서 천편일률적인 진료를 시행하라는 것은 정말 어불성설이다. 산부인과 복강경 수술을 받는 환자들은 PONV의 위험 요인을 거의 다 가지고 있다고 해도 과언이 아닐 정도이다. 이러한 산부인과 복강경 수술이 예정된 환자들에서 산부인과, 마취통증의학과 등의 협진으로 PONV를 보다 효과적으로 예방하면서 수술 후 통증까지 조절하는 것이 중요하다는 것은 당연한 일이다. 그렇지만 정부는 '이 시술은 입원부터 퇴원까지 100만 원이면 충분하다며 100만 원으로 다 끝내.'라고 정해 두었다. 이것이 바로 포괄수가제도(DRG:diagnosis related group)이다. PONV를 예방하고 수술 후 통증을 조절하기 위해 신경 차단 등의 추가적인 여러 조치를 시행하면 할수록 병원의 수입이 줄어드는 결과를 낳게 된다. 그래서 어느 의사가 환자에 대한 애정을 가지고 적극적으로 대처할 수 있을지 의문이다. 물론 이를 악용하는 병원도 문제가 있지만 좀 더 여유를 부여한 건강보험 정책을 개선해 주기를 기대해 본다. 일반 병원이든지 대학병원이든지 상관없이 똑같은 DRG를 잣대로 삼지 말고 대학병원이면 사회적인 책무와 더불어 좀 더 적극적으로 환자를 볼 수 있는 기회를 주거나 또는 환자가 여력이 되면 DRG 내에서도 추가 비용을 낼 수 있는 선택을 할 수 있도록 수가 등을 조정하는 융통성을 발휘해 주기를 바란다.

요즘 당일 시술 또는 수술 등이 증가되면서 병원에서 퇴원 후 발생하는 오심 및 구토에 대한 관심 역시 증가하고 있다. 시술이나 수술 후 오심 및 구토의 경험은 수술의 종류 마취 방법 등 여러 변수들이 있겠지만 적게는 6.7%에서 73.4%까지 보고되고 있다. 이를 퇴원 후 오심 및 구토(PDNV: postdischarge nausea and vomiting)이라고 한다. PDNV의 위험 요인, 예방 방법, 그리고 치료 방법은 PONV와 다르지 않다. 마취통증의학과 의사를 비롯하여 시술 또는 수술하는 의사가 이에 대한 관심을 가지고 있어야 하는 것은 물론이고 환자 역시 이에 대해 적극적인 예방 및 치료를 요구하는 것이 중요할 것이다.

인용 출처

웹사이트

https://wikimedia.org

https://bible.com

https://britishmuseum.org

https://els-jbs-prod-cdn.jbs.elsevierhealth.com

https://anesth.or.jp

https://imssusa.files.wordpress.com

https://listerine.com

https://woodlibrarymuseum.org

https://media.springernature.com

https://aneskey.com

https://static.cambridge.org

https://link.springer.com

https://www.nysora.com

https://statistics.kops.or.kr

https://mk.co.kr

https://pixabay.com

그림/사진

[그림 1] 이브의 창조(The Creation of Eve) / 14
https://upload.wikimedia.org/wikipedia/commons/4/4a/Michelangelo%2C_Creation_of_Eve_01.jpg

[그림 2] 수술(Die Operation) / 17
https://upload.wikimedia.org/wikipedia/commons/d/df/Traversi_Operation.jpg

[그림 3] 맨드레이크(Mandrake) / 23
https://pixabay.com/images/id-1152062

[그림 4] 과학적 연구!-공압의 새로운 발견!-또는-공기의 힘에 대한 실험 강의(Scientific researches!-New discoveries in pneumaticks!-or-an Experimental lecture on the powers of air) / 26
https://www.britishmuseum.org/collection/object/P_J-3-59

[그림 5] 호러스 웰즈(Horace Wells) / 29
https://upload.wikimedia.org/wikipedia/commons/8/82/Wells_Horace.jpg

[그림 6] 윌리엄 T. G. 모턴(William Thomas Green Morton) / 29
https://upload.wikimedia.org/wikipedia/commons/f/f5/WTG_Morton.jpg

[그림 7] 찰스 T. 잭슨(Charles Thomas Jackson) / 29
https://upload.wikimedia.org/wikipedia/commons/4/45/Jackson_Charles_Thomas.jpg

[그림 8] 에테르의 날 혹은 에테르를 사용한 첫번째 수술(Ether Day or The First Operation with Ether) / 30
https://upload.wikimedia.org/wikipedia/commons/2/22/Ether_Day%2C_or_The_First_Operation_with_Ether_by_Robert_C._Hinckley.jpg

[그림 9] 1846년 에테르의 날(Ether Day 1846) / 31
https://els-jbs-prod-cdn.jbs.elsevierhealth.com/cms/attachment/c190ec46-8284-44aa-94cf-36f69003c961/gr1.jpg

[그림 10] 크로퍼드 롱(Crawford Williamson Long) / 35
https://upload.wikiedia.org/wikipedia/commons/8/8c/CrawfordLong.jpg
https://www.aoc.gov/explore-capitol-campus/art/crawford-w-long-statue

[그림 11] 일본마취통증의학회(Japanese Society of Anesthesiologists) / 36
https://anesth.or.jp/img/users/logo_english.png?1555257506

*저작권 등 침해되는 일이 없게 그림의 출처를 밝혀두었고 일부 그림들은 함께 일하고 있는 임종민 간호사의 도움을 받아 다시 그렸습니다. 임종민 간호사에게 다시 한번 감사의 인사를 드립니다.

마취,

그 치명적인

속으로

발행 • 2023년 7월 25일

지은이 • 김성협

펴낸곳 • 호디북스
출판등록 • 제2013-000014호
주소 • 서울시 은평구 불광로8길 8-6
전화 • 02.714.2252 팩스 • 02.6442.0474
이메일 • hodibooks@gmail.com

ISBN • 979-11-950546-4-0 03510

“이 책의 본문은 ‘을유1945’ 서체를 사용했습니다.”